QUERIDO JOE
CON TODO
MI AMOR

RAMÓN

Dolor País

SILVIA BLEICHMAR

Dolor País

libros del
Zorzal

Fotografía de tapa
Pablo Galarza

Diseño
Ixgal

"¿Cómo se mide el índice 'Dolor País'?", diario *Clarín*, 25 de julio de 2001; "La derrota del pensamiento", diario *Clarín*, 31 de octubre de 2001; "La difícil tarea de ser joven", revista *Topía*, año XI, n° 32, septiembre/octubre de 2001; "Ahora somos todos cartoneros", diario *Clarín*, 15 de enero de 2002.

2da reimpresión: abril de 2002

ISBN 987-1081-01-4
Libros del Zorzal
Printed in Argentina
Hecho el depósito que previene la ley 11.723

Para sugerencias o comentarios acerca del contenido de *Dolor País*, escríbanos a: info@delzorzal.com.ar

www.delzorzal.com.ar

a María del Carmen Feijóo y María Seoane,
porque la Cruz del Sur fue nuestro sino

Indice

1

Los recursos de la historia

Cuando yo era niña los mayores repetían, con un tono mitad reprochante mitad benévolo, una frase que no por irritante tuvo efectos menores en nuestras vidas: "¡Cómo se nota que este país no tuvo hambre ni guerras!" Lo decían cada vez que dejábamos la comida en el plato, lo repetían cuando pedíamos algo de manera especial para luego descartarlo, insistían en ello cuando nos rehusábamos a usar ropas de la temporada anterior porque el color o el modelo habían dejado de estar en vigencia, y cuando queríamos una muñeca o una bicicleta de cierta marca no sólo porque nos gustara sino porque todos los chicos del barrio la tenían.

Cincuenta años después el país había atravesado hambre y guerras, y como una profecía autocumplida nuestra generación realizó el deseo mortífero de identificarse con sus padres. Ya no somos menos que ellos, ya tuvimos nuestras guerras y ahora tenemos el hambre, y de modo inexplicable, ya que en este país siempre se supuso que podía faltar cualquier cosa, menos comida. Y es que la comida en realidad nunca ha faltado, siempre ha estado allí, por eso no se entienden los índices de mortalidad infantil incrementados, ni el deterioro de los viejos, ni la subalimentación de las embarazadas, ni el retorno de la tuberculosis... El hambre, por otra parte, nunca se transformó en hambruna, y no sólo porque mal que bien siempre hemos tenido cosechas, sino porque existieron, de modo salvador, las ollas populares, que tuvieron su dignidad solidaria cuando se hacían en las puertas de las fábricas en huelga y mostraban la voluntad de resistir no sólo al hambre sino al riesgo de quedarse sin trabajo, y que hoy se han tornado la marca de la miseria y de la compasión, y como ya no hay fábricas se instalan en las iglesias y en espacios privados que algunos menos desafortunados han creado para dar cuenta de que aún se sostiene, aunque sea en el marco del deterioro y la desintegración social, el concepto de semejante.

Durante esos cincuenta años en los cuales se desplegaron las guerras y se agazapó el hambre hasta irrumpir violentamente en los grandes centros urbanos a fines de los ´80, intentaron conducir al país alternativamente militares y civiles. Más allá de que toda mi generación conozca los acontecimientos, no es banal repasar algunas cifras: de los primeros 28 años –entre 1955 y 1983– el poder fue ocupado 21 años por militares. En ese marco, sólo por breves períodos gobernaron los civiles, que asumieron definitivamente la conducción del país a partir de 1983. De los 30 años que tuvieron a su cargo el gobierno –once de ellos en pequeños interregnos entre un gobierno militar y otro, y en forma continuada los 19 que han transcurrido luego del retorno a la democracia– se alternaron en la Presidencia de la Nación radicales y peronistas. Y más allá de la corrupción de muchos y la inoperancia de algunos, es evidente que pocas veces se ha visto en la historia de la humanidad mayor coherencia de conjunto por parte de los gobernantes –legítimos o ilegítimos– para desarticular los sueños de todos y el futuro de la mayoría.

Es indudable que en un país hay actos imperdonables y otros cuestionables. Que la inmoralidad cívica de los militares y su operatividad para aumentar la deuda externa sobre la base del crimen organizado desde el poder no están en el mismo plano que la cobardía de gran parte de la clase política y su inoperancia financiera. Es cierto también que no es lo mismo un presidente que no estuvo a la altura de las expectativas que depositamos en él que aquel que nos mintió y robó impunemente, para lo cual corrompió lo que se fue construyendo trabajosamente en la Justicia en los primeros tiempos del retorno a la democracia después de largos períodos de tribunales militares y de jueces civiles cómplices de la masacre.

Para ello hay que tener en cuenta que hay no sólo una diferencia de matices en los diversos modos de producir dolor a otro ser humano, sino diferentes formas de relación con el mundo, de emplazarse en el mundo; no aludo aquí a cualidades ideológicas o políticas, sino a formas de funcionamiento de la subjetividad. Mientras que la agresividad es la respuesta con la que el yo se enfrenta a la resistencia que opone el yo del otro para el ejercicio de la voluntad propia, e implica por ello el reconocimiento de ese otro como par, como idéntico, como semejante, incluso en la voluntad de aniquilarlo como obstáculo, el sadismo es efecto del placer que alguien puede sentir de producir dolor sin que se juegue en ello necesariamente un reconocimiento de la subjetividad –el sadismo puede ser ejercido con un animal, en el cual el solo placer de producir dolor no implica necesariamente intento de destitución subjetiva. En la agresividad yo reconozco al otro, y llego a sentir odio por la resistencia que opone a someterse a mi voluntad: en las luchas sociales, en los enfrentamientos que los seres humanos tienen por el poder, en las guerras y colisiones de distinto tipo, desde las más íntimas, amorosas, familiares, hasta las luchas por el poder político y las guerras que desencadenan, la agresividad está en el centro de las tensiones producidas. En el sadismo se ejerce de hecho una destitución subjetiva, y el cuerpo del otro, cuerpo sufriente, está al servicio del goce que de ese sufrimiento se obtiene: sabemos de las perversiones en las cuales esto se ejercita, y también del modo con el cual la perversión se introduce en situaciones límite, reducido el cuerpo del otro a puro lugar de goce desubjetivizado e inerme. La crueldad, por su parte, tiene algo de ambos: implica una combinatoria de sadismo y agresividad, reconoce el carácter subjetivo del otro e intenta una demolición del mismo por medio del dolor que se le inflige. La tortura es claramente su paradigma, y en algunos sujetos que la han escogido como métier se ha visto esto claramente: hay placer en demoler al otro, en arrancarlo de sí mismo, en destruir toda resistencia subjetiva que dé cuenta de que aún tiene un pensamiento que le pertenece; la necesidad de meterse hasta lo más recóndito y quebrar al otro no radica en el deseo de destruir su ideología sino lo más profundo de su pensamiento, el núcleo mismo de su intimidad y, a través de ello, de su identidad.

Hay sin embargo un modo de operar que no es intrínsecamente sádico, ni agresivo, ni cruel, y que es todo eso, sin embargo, por sus efectos. La acción no se sostiene en el intento de demoler al otro sino en el desconocimiento liso y llano de su existencia, en la ausencia de todo reconocimiento de lo que se produce en el otro como semejante, en la desarticulación de toda empatía. Bajo esta forma se ejerció lo que Hanna Arendt llamó "la banalidad del mal"[1]: el hecho de que cualquier burócrata podía llevar, durante la Segunda Guerra Mundial, planillas con números que controlaban y tornaban más eficientes los planes de exterminio, racionalizaban recursos, decidían la forma de la muerte a partir de una medición de costos materiales y efectos buscados. No hay en el que actúa necesariamente deseo de destrucción, agresividad, sadismo, crueldad, como formas subjetivas del placer. Simplemente hay una falla en la capacidad de reconocer la significación de la acción –no su sentido–, reconocer el hecho de que se están destruyendo seres humanos en toda la dimensión moral que esto tiene, de darse cuenta de que aquello que se destruye, se gasea, se quema, se aniquila, es "alguien", y no simplemente un número en una planilla, una cualidad de lo prescindible o lo desechable.

En la Argentina hemos pasado por el proceso de destrucción bajo modos que se caracterizaron dominan-

1 Hannah Arendt, *Eichmann en Jerusalén. Un estudio sobre la banalidad del mal*, Lumen Ed., Barcelona, 1999.

temente por la agresividad, el sadismo o la crueldad. Y no es necesario que me detenga en esto, todos sabemos de qué hablamos, cada uno puede encontrar un número tal de historias al respecto que nos duele el solo hecho de aludir a su carácter de incontable: militares crueles, represores sádicos, realizando acciones que propician el terror no sólo como medio de control sino como placer de dominio. Sin embargo, estas diferencias que acabo de establecer dan cuenta de la superficialidad de una oposición general, vacía, a la "violencia": la violencia de la agresividad es inherente, necesariamente, a todo accionar humano, y su regulación está dada por el monto de amor que define la acción realizada. La agresividad que se despliega por desesperación en el intento de defender la vida, propia o de los seres amados, no implica necesariamente crueldad, y mucho menos sadismo. Por el contrario, el deseo de poder despojado de sentido, por el poder mismo, siempre se ha ejercido a dominancia de crueldad, atravesado por la destrucción liberada de todo afán realizativo de otro orden.

A diferencia de otrora, sin embargo, teniendo la banalidad del mal una larga historia, encuentra su culminación en los últimos tiempos. Podemos decir en este sentido que los modos del capitalismo salvaje, neoliberal, al menos bajo la forma que hemos conocido en nuestro país, pasan a una etapa superior a aquellas con las cuales se ejerció todo el poder anterior a nivel económico. Porque así como el nazismo tuvo esa cualidad particular no sólo de haber matado a millones de personas con intención genocida –lo cual ya habían hecho los turcos en Armenia y mucho antes los cristianos con los turcos, y acá nomás, en el sur de aire cortante y cielo transparente esa versión farsesca de Custer llamado Roca que se dedicó a matar indios antes de ser Presidente– sino de haber llevado sus cuidadosos registros, haber eficientizado de manera inédita y racionalizado de modo no previsto los modos de la muerte, subordinando la dignidad a la eficacia económica de forma tal que no se gastaran finalmente balas que se necesitaban para matar enemigos en seres inertes con los cuales se podía ejercer la destrucción sin tanto gasto bélico. Y bien, del mismo modo el capitalismo salvaje, el llamado neoliberalismo, organizó su modo de desmantelamiento y aniquilación regido simplemente por planillas y computadoras, y sus funcionarios ejercieron la banalidad del mal desde los planes gubernamentales y los directivos de cada empresa repitieron la acción racional de desprenderse del lastre.

En la Austria ocupada de la banalidad del mal un médico describió un modo patológico del funcionamiento psíquico que se conoció con su nombre, como síndrome de Asperger, caracterizado por ser una suerte de autismo que no implicaba deterioro intelectual, sino vacío de significación. No es casual que fuera en un país en el cual gran parte de la población había llegado a funcionar con indiferencia absoluta por el contenido ético de su propia acción, con escisiones severas que se expresaban en lágrimas profundas por una ópera de Wagner e indiferencia total ante la mirada vaciada de niños destinados a la muerte. Esta fue la novedad de la Alemania nazi y de sus aliados, y lo que torna única la experiencia; porque si nos sobrecoge el relato del genocidio de los armenios cuando nos enteramos de que los turcos araron los cementerios para hacer desaparecer de la faz de la tierra los restos materiales de una etnia, no podemos dejar de reconocer en esa acción terrible y enjuiciable el odio como sentimiento arrasador que si nos avergüenza es precisamente porque de otro modo, en otra medida, lo reconocemos como parte de la condición humana. Pero por el contrario se nos hace absolutamente incomprensible que alguien pueda ejercer actos de tal nivel de destrucción como un trámite, y es en este punto en el cual no podemos identificarnos sino del lado de las víctimas, porque creemos carecer, afortunadamente, de referentes psíquicos que nos pongan del lado de los victimarios.

La banalidad del mal es la indiferencia, la posibilidad de ejercicio de una acción de destrucción sin la menor compasión porque la víctima ha dejado de ser nuestro semejante. Y es eso lo que se intentó producir en la Argentina de los últimos diez años: la convicción de que no había otro camino que tirar al río a la mitad de la población, para que se salvaran los que lograban sobrevivir. La contigüidad de un ministro Asperger, cuyo empecinamiento racional podría muy bien ser representado por el de un señor que ha sacado una hipoteca y está resuelto a pagarla más allá de que con los intereses que le cobraron ya lo hizo cien veces, y que empecinado en saldar su deuda deja que muera la esposa de tuberculosis, los niños de inanición, el abuelo por falta de medicación, y sigue y sigue tratando de convencer a todos de la necesidad no ya moral sino material de pagar esa deuda cuyo incumplimiento, dice, les augura la muerte, permite vislumbrar una imagen que hubiera sido grotesca si no fuera por el patetismo en el cual sumergió al país.

No hay en esas acciones planificadas con el aval de socios que son corporaciones y computadoras que definen diariamente quién se salva y quién se hunde, nada de la crueldad de los viejos patrones de estancia argentinos que sostenían el poder a rebencazo y cepo. Y sin embargo, en este país de tradiciones profundas, los bonos provinciales retornan en el marco de la racionalidad mediática y la tercera moneda no tiene nada que envidiarle a los vales para carne, galleta y vino con los cuales los dueños de la tierra se quedaban con un plus de salario mediante un canje que sólo podía ser realizado en sus propias pulperías. Por eso no es casual que sea un caudillo de la tierra la opción que se ofreció aunque no duró, como resultado de la tempestad desatada en las vísperas de esta Navidad austera no por convicción cristiana sino por despojo planificado. Da cuenta su elección, transitoria o no, de la nueva economía "mixta": una parte capitalismo de última generación, vale decir neoliberalismo de cepo, otra parte retorno a las viejas tradiciones en las cuales el país de los excluidos encuentra vales que permiten la supervivencia en una reducción a la inmediatez para la cual el paternalismo degradado ya no del ogro filantrópico sino del murciélago que lo acompaña sigue chupando lo que queda de lo que ya no tenemos.

Y la mezquindad de los políticos se expresó tanto en la elección de ese presidente de siete días como en los cálculos escandalosos que hicieron oficialismo y oposición para ver sus posibilidades electorales, al margen de las necesidades del país. Y si las fotos tanto del gabinete de Rodríguez Saá como de su encuentro con los caudillos cegetistas fueron láminas grotescas, fuera de época, para un almanaque del 2002 ilustrado por Molina Campos, las declaraciones de los dirigentes de las fuerzas hasta entonces mayoritarias a nivel político dieron cuenta del conteo escandaloso de la prospectiva de votos, como si el país fuera una enorme mesa de dinero política en la cual en lugar de apostar al valor del dólar para dentro de dos meses se apostara al caudal de votos que podría enriquecer a algunos o voltear a otros.

Sin embargo, en medio de esta sensación de destino trágico, la voluntad de seguir haciendo nos sorprende cotidianamente. Hay en mi barrio una señora, sobria y educada, que todos los días produce una historia que vende a quien se le cruce a cambio de una limosna: hoy con un hijo epiléptico, ayer un marido hemipléjico, mañana su madre inválida que ha tomado a cargo los nietos huérfanos, alguna vez contó que le habían robado la cartera, otra, que vino a ver a un familiar enfermo y ahora tiene que internarlo... Sus mentiras producidas sobre el trasfondo de una verdad tan banal que ya no convoca a nadie, como la de ser sola, desocupada y sin hombre que la sostenga, apelan constantemente a una inventiva digna de la picaresca más tradicional –lo cual no obtura el hecho de que en esa verdad que retorna de una familia diariamente inventada de viejos lisiados y niños carentes, despojo de bienes y orfandad, asoma su propio rostro dando cuenta de que no es de otros que habla, sino de sí misma, ya que ella es la conjugación de todos los personajes que habitan sus relatos. Si su representación cotidiana provoca la indignación de muchos que no comprenden la profunda creatividad que anima su desesperanza, despierta también la simpatía de otros que saben que en ella confluye un país en cuya exterioridad volcada por las calles se despliegan todos los modos del arte como desbordamiento del espíritu que se rehúsa a ser aplanado a lo puramente autoconservativo. Cuando la he encontrado comprando no un pan sino una medialuna rellena con el dinero tan trabajosamente obtenido –medialuna que no me extrañaría que haya comido en otra época con platito y mantel–, sé que en ella asoma también el país que se rehúsa a morir, con su producción desbordada de cine, teatro, pintura, recitales, encuentros vecinales, relatos en voz alta, diálogos insólitos entre desconocidos, poetas que autoeditan, revistas de papel pobre e ideas ricas, bandoneones y bailarines derramados generosamente sobre nosotros. Y que sus historias dramáticas son fragmentos de un aguafuerte que se ha encontrado con un mundo en el cual no hay enmarcado posible si no lo construimos, porque ya no queda resto para un diálogo de lechería en el cual retorne la muletilla con la cual Arlt hizo famoso el verso amoroso del porteño: "Pero, acaso, ¿yo te juré amor eterno?"[2], dicho en este caso por un político al cual le reprochamos como una novia desengañada sus promesas incumplidas.

El gesto de mi vecina que algunos califican de soberbio, que se niega a comprar pan y sigue comprando

---

2 En el "Diálogo de lechería" de sus *Aguafuertes Porteñas*.

medialunas de manteca, es, por otra parte, una afirmación de su voluntad de rehusarse a una desidentificación de sí misma. Si ella cede, si acepta que con lo que obtiene de su trabajo de representación sólo puede sobrevivir, la vida pierde todo sentido porque ha dejado de ser, definitivamente, quien era. Recuerdo una historia del exilio: un amigo, abogado y docente universitario, fue convocado por un empresario a poner en marcha una fábrica de muebles. La propuesta no por absurda era carente de racionalidad: excelente carpintero, hijo de un ebanista austríaco que le había enseñado el oficio en la infancia por amor a la madera y no como perspectiva laboral, se negó sin embargo a aceptarla sabiendo que ganaría mucho menos si continuaba enseñando en la Universidad, empacado en sobrevivir con un sueldo que le garantizaba la identidad al costo de una supervivencia económica en el borde mismo de sus necesidades. Su argumento fue el siguiente: "Mi padre me hizo estudiar porque no quería que yo estuviera, como él, en la carpintería... Yo no puedo volver allí, se han sacrificado demasiadas generaciones de carpinteros para que yo fuera doctor..."

Y bien, en este país se han sacrificado demasiadas generaciones de obreros del calzado, de costureras, chacareros y kiosqueros, para que sus hijos vuelvan a trabajar por nada, para que sus nietos no tengan garantías educativas mínimas, para que sus hijos vayan a la Universidad Tecnológica para no ser torneros como ellos y acaben manejando un taxi porque no habiendo ya torneros en el país tampoco son necesarios ingenieros industriales, para que no puedan operarse porque en el hospital no hay camas, y luego, después de tanto sacrificio, para que ni siquiera puedan enterrarlos porque el PAMI se quedó sin cajones.

Pero si hay algo que todos podemos afirmar porque tenemos la corroboración cotidiana y la certeza subjetiva, es que el índice "dolor país" se ha ido incrementando a lo largo de los años, y que gran parte de los argentinos parecen haber pasado de la desesperación a la desesperanza, lo cual no es indicador de ningún progreso, ya que la desesperación puede perfectamente conducir a la esperanza, mientras la desesperanza es la convicción dramática de que el futuro no tiene nada para ofrecer, y que la única expectativa radica en la evitación de que los tiempos que están por venir no sean aún peores que los actuales.

La dramática frase que Andrés Rivera hace farfullar a Castelli, el orador de la Revolución, con la lengua destruida por el cáncer al final de su novela: "Si ves al futuro dile que no venga"[3], ha estado en los últimos tiempos en la cabeza de todos los argentinos, convencidos de que nada bueno se puede ya esperar y que la agonía sólo puede prolongarse indefinidamente, ya que no necesariamente el camino a recorrer sería el de sucumbir violentamente a la debacle, sino el desmantelamiento, ruidoso y acelerado por momentos, silencioso y paulatino en otros, pero siempre implacable, no sólo de los sueños sino de lo ya construido, de todo lo que alguna vez fuimos en esta capital de un imperio que nunca existió.

---

3 Andrés Rivera, *La revolución es un sueño eterno*, Alfaguara, 1993.

Ha estado en la cabeza de todos hasta el miércoles 19 de diciembre, cuando comenzaron las cacerolas y siguieron las batallas en la calle, cuando asomados a las ventanas muchos tuvimos la sensación de que sobre la ciudad no se derramaba aceite hirviendo pero sí el hervor de muchos días, meses, años incluso de frustración y decepción. Y la caída de un presidente débil e incapaz de parar la propuesta demencial de su ministro de economía, no sólo por falta de una mejor sino porque nunca supuso siquiera que pudiera ser más que un administrador-bisagra entre los deudores que constituían su electorado y los acreedores que eran su garantía de existencia, o porque ese ministro representó perversamente su verdadera intención de administrar el país arrojándolo desde lo alto al río como –según afirman ciertos medios– algunos de sus familiares políticos lo hicieron con los cuerpos de otros compatriotas, restituyó la dignidad y tal vez la esperanza a este castigado país. No hubo aceite hirviendo pero de alguna manera supimos medir fuerzas, y pudimos probar que la derrota de los sueños acumulados de varias generaciones, sueños arrasados en los '70 con los cuerpos y cabezas de quienes los soñaron, retornaban de la pesadilla. Por eso no nos alcanza con la huida de Sobremonte en helicóptero desde el techo de la Casa de Gobierno, porque si Fernando VII hoy no tiene corona, sino acciones, y bonos, y medidores de "riesgo país", y retiro del Estado de sus obligaciones de velar por la salud, la educación, e incluso la muerte digna de sus habitantes, diciembre no es simplemente el estallido de la bronca condensada sino, tal vez, el inicio de la recomposición de un conjunto de significaciones acerca de quiénes somos y sobre qué horizonte no sólo económico sino representacional queremos estructurar nuestras vidas [4].

---

[4] Las colonias españolas en el Río de la Plata eran gobernadas por un Virrey, que era nombrado por el Rey de España para que lo representara en estas tierras. Pero el 25 de mayo de 1810 los criollos lo depusieron y lo reemplazaron por una Junta elegida por el pueblo. Los acontecimientos que prepararon el estallido de la revolución fueron: Inglaterra se hallaba en guerra con Francia y España desde 1804; necesitaba, por lo tanto, conquistar nuevas colonias que le proveyeran de la materia prima que sus industrias necesitaban y le compraran los productos manufacturados que los europeos se negaban a adquirir. La primera invasión comandada por Beresford llegó en 1806. El pueblo de Buenos Aires, sin embargo derrotó a las fuerzas inglesas. Ante la irresponsabilidad del Virrey Sobremonte, delegado de Fernando VII, para enfrentar la situación, la voluntad popular se expresó por medio del Cabildo y, por primera vez, derrocó al Virrey asumiendo el poder y nombrando a Liniers en su lugar. Se tomó entonces la decisión de formar las primeras milicias, que tan importante actuación tuvieron en la Revolución de Mayo. Cuando los ingleses intentaron, al año siguiente, una nueva invasión, Sobremonte huyó abandonando las tropas que tenía a su cargo. Como consecuencia de ello fue destituido y enviado prisionero a España. Los ingleses marcharon hacia Buenos Aires. Liniers, que había sido nombrado Virrey, los enfrentó en los Corrales de Miserere, donde fueron derrotados. Como consecuencia el pueblo supo, a partir de entonces, que era capaz de defenderse; la huida de Sobremonte quitó prestigio a las autoridades españolas; en los criollos surgió la idea de liberarse de España; todo esto desembocó en la Revolución de Mayo, y se considera su antecedente principal.

2

Dolor País

¿Cómo se mide, en índices aceptables, la suba inexorable del "dolor país"? Si la sensación térmica es una ecuación entre temperatura, vientos, humedad y presión atmosférica, ¿por qué no emplear combinadamente las nuevas estadísticas de suicidio, accidente, infarto, muerte súbita, formas de violencia desgarrantes y desgarradas, venta de antidepresivos, incremento del alcoholismo, abandono de niños recién nacidos en basurales –metáfora magistral de la convicción que tienen los miserables irredentos de que su prole no tiene ni tendrá otro destino–, deserción escolar, éxodo hacia lugares insospechados... para medir el sufrimiento a que somos condenados cotidianamente por la insolvencia no ya económica del país sino moral de sus clases dirigentes?

El Programa de las Naciones Unidas para el Desarrollo evaluó en algún momento "índices de sufrimiento humano", construidos a partir de diferentes variables: inseguridad, expectativa de vida, tasa de suicidios, mortalidad infantil... Estos datos objetivos no dan cuenta sin embargo, tal vez porque es imposible hacerlo, de los múltiples dolores cotidianos, del desgarramiento interior de quienes los padecen:

habría que sumergirse hasta el fondo de los seres humanos, tolerar el horror que números y planillas no reflejan, para encontrar allí las imágenes de la devastación sorda a la cual han sido sometidos.

Durante la ocupación alemana, se solicitaba a la dirección judía de los guetos una cuota diaria de nombres que ellos mismos debían entregar, suponiendo que la decisión tomada era hecha en función de enviar a algunos a la muerte para salvar a otros. En definitiva, esa cuota no fue sino un engaño, el modo con el cual se logró la colaboración silenciosa de quienes debían elegir, día a día, quién se salvaba y quién moría; y aquellos que lo hicieron supieron que las pobres justificaciones que los alentaban a realizar la bajeza de ese trabajo no era sino el encubrimiento de su propio terror, la degradación cotidiana hacia la desidentidad absoluta. Hoy nuestras clases dirigentes deciden si le quitan los antibióticos a una maestra o la medicación antihipertensiva a un jubilado, y la llamada reingeniería empresarial obliga a sus próximas víctimas a un diseño cuidadoso de la cuota diaria que deben entregar quienes aún deciden sobre los otros, sabiendo que ese lugar puede alternarse y en cualquier momento se producirá respecto a ellos mismos la expulsión definitiva de la vida.

Hay en la infancia un sentimiento de desvalimiento que da lugar a la más profundo de las angustias: se trata de la sensación de "des-auxilio", de "des-ayuda", de sentir que el otro del cual dependen los cuidados básicos no responde al llamado, deja al ser sometido no sólo al terror sino también a la desolación profunda de no ser oído. A tal punto es así, que puede devenir "marasmo", un dejarse morir por desesperanza, por abandono de toda perspectiva de reencuentro con el objeto de auxilio.

Y de eso se trata con la desaparición de las funciones mínimas del Estado, porque como decía un cartel de los piqueteros: "Tenemos tres problemas: no tenemos trabajo, no nos jubilan, no nos morimos...", en un país en el cual la desocupación no sólo arrastra la lesión moral de no sentirse necesitado por nadie, de ser sobrante inútil de la masa humana que construye riquezas, sino que implica una agonía deteriorante y paulatina para quien se ve sometido a ello dado que la orfandad a la cual el Estado lo condena se extiende a su mundo entorno, a todo lo que ama.

Porque no alcanza con la crisis para sumirnos en este "sobre-malestar", en esta sensación de dolor profundo que consume hoy a la mayoría de los argentinos, y que nos embarga hasta la cursilería –como cuando se nos hace un nudo en la garganta al recordar un viejo comercial en el cual un avión despegaba mientras una voz decía "Aerolíneas Argentinas, la Argentina que levanta vuelo", o se nos seca la boca escuchando una canción patria que fue motivo de chistes infantiles: "alta en el cieeeeloooo, un águila guerrera..."

El "dolor país" se mide también por una ecuación: la relación entre la cuota diaria de sufrimiento que se le demanda a sus habitantes y la insensibilidad profunda de quienes son responsables de buscar una salida menos cruenta. El suplemento de modas de un diario de esta ciudad traía el jueves, en el marco de una semana de quitas y levas, de protestas y enfrentamientos, un titular extraordinario en su banalidad irresponsable: "Las colecciones de París. El mundo es un lujo". Y en páginas interiores, el casamiento de la hija del ministro que se quedó sin lágrimas de tanto tomar medidas que lo desgarran, con el mismo vestido de encaje que debió ser salvado del vandalismo resentido de quienes esperaban en la puerta. Se puede, por supuesto, cuestionar el derecho a inmiscuir lo público en lo privado, a llevar hasta la boda de una joven la hostilidad reinante en esta ciudad devastada, a arruinar "el día más feliz de la vida de una mujer" trasladando la guerra al salón de fiestas elegido, situado en la "reserva ecológica" de la ciudad, una de las zonas en la cual aún se salvan algunas especies naturales del país. Pero convengamos en que hay algo perverso en la ostentación de riqueza y bienestar con la cual se acompañan, simultáneamente, sin intervalo temporal, las demandas más brutales de sacrificio a la Nación con la exhibición del goce de quienes las realizan.

La "guerra de los pasteles" fue un episodio de la historia de Francia: la respuesta que dio el pueblo a la frase terrible de María Antonieta, esposa de Luis XVI: "¿El pueblo no tiene pan? ¡Que coma pasteles entonces!..." Y la inmoralidad salta a la vista, tal vez porque ocurrió en otro país y en otro tiempo, y a nadie le hubiera parecido injusto que le hicieran un nudo en la boca con su pretenciosa peluca si podía decir cosas tan desalmadas sin ninguna sensibilidad hacia el sufrimiento ajeno.

Hace algún tiempo se hizo una encuesta en EEUU para elegir al personaje más detestable de los cuentos infantiles; fue nominada, por mayoría y sin dudas,

Cruella de Ville. Podemos avanzar alguna interpretación al fenómeno: la madrastra de Blancanieves está celosa de su marido; la de Cenicienta ama a sus propias hijas por encima de todo escrúpulo; el hada devenida mala de *La bella durmiente* actuó por resentimiento, por exclusión, por no haber sido invitada a la fiesta de bautismo –ya quisieran nuestras clases gobernantes despertarse después de cien años de dormir con el beso de un príncipe y todo intacto para retomar la fiesta... Pero Cruella de Ville no tiene motivos, más que su vanidad, su falta de sensibilidad por el sufrimiento ajeno, la "banalidad" de su egoísmo, el hecho de que pueda quitar la piel del otro sólo para hacerse un objeto de lujo, ni siquiera para sobrevivir. Que alguien quiera reencontrar en ese personaje a la ministra que cubrió de zorros su devastada desnudez para mostrar vanidosa, impunemente, adónde iban a parar las comisiones de robos y malas ventas, no exige demasiada suspicacia; pero lo que sí hay que reconocer es que no se vendieron las joyas de la abuela, en un país donde ya no quedaban ni las perlas en las ostras, sino la carne, la sangre y los dientes de todos los viejos, y la posibilidad de que aquellos que aún tienen tiempo por delante se hayan quedado sin futuro con el cual llenarlo.

Morgan y sus colegas nos han hecho entrar en la zona roja del mundo. Todos los días miden el "riesgo país" con un cuidadoso cálculo que define si tendremos o no libreta sanitaria para seguir trabajando, para seguir siendo plausibles de generar ganancias sin riesgo de infección. Y cada día miles de argentinos pauperizados repetimos aterrados los índices que pueden arrojarnos a la calle, o permitirnos seguir viviendo con un costo cada vez mayor y una sensación de indignidad profunda. Este también es el "dolor país": la imposibilidad de salir de la esterilidad condenada a la cual nos sentimos arrojados, de la cual sólo puede desatraparnos la convicción inexorable de que tenemos el derecho de recuperar los sueños que, como decía María Seoane [5], anidan en los pliegues del siglo XX, para darles una textura nueva que los haga compatibles con los tiempos que comienzan.

[5] Periodista, escritora, autora de los libros *La noche de los lápices, El Dictador* y *Todo o nada.* (N. del E.)

3

La derrota del pensamiento

Nuestra generación de intelectuales, si no recupera sus raíces, corre el riesgo no sólo de perder su legado histórico sino de dejar a la sociedad argentina en su conjunto erráticamente librada a los oportunistas del momento. Subordinada la política a la economía, subordinados gran parte de los intelectuales a los organismos oficiales, no es un rasgo de audacia sino de realismo afirmar que esta disolución constituye el factor más importante de la imposibilidad de construir una perspectiva de futuro que permita la recomposición de las significaciones sociales.

Porque si hay hoy una carencia fundamental sobre la cual se produce gran parte del sufrimiento moral que acompaña las pérdidas materiales de casi la totalidad de la población del país, ésta está constituida por la derrota del pensamiento; derrota del pensamiento que se pone en evidencia cuando la improvisación y la farandulización que ya había capturado la vida cotidiana se convierten en el eje alrededor del cual se determinan posiciones y juegan estrategias respecto a cómo gobernar los destinos del país. Dando cuenta, sin embargo, los últimos resultados electorales, de que en el imaginario colectivo ya no hay espacio para ejercer el poder simplemente como una representación y transformar la política en un deporte –ni siquiera cuando los profesionales del deporte y el espectáculo intentan reemplazar a los amateurs que los ejercen–, lo cual es puesto al descubierto con los votos anulados y en blanco que constituyen simultáneamente la explicitación del deseo de conservar el derecho a elegir y el hastío ante la reiteración de esa combinatoria de mala fe e inoperancia que se manifiesta, desde hace años, a través del alternado retorno de las corrientes dominantes de la política.

Si ello nos obliga a un esfuerzo mayor para aceptar el riesgo de asomarnos al pensamiento sin temor a caer fuera de lo instituido, es requerimiento del proyecto de recuperación que nos compete saber dónde nos quedamos en el último recodo del camino. Hemos sido golpeados por las catástrofes del siglo veinte, lo cual lleva a que algunos piensen que se puede justificar todo porque él fue acabando con nuestras certezas. Sin embargo, si no recuperamos nuestra historia, no sólo quedamos definitivamente huérfanos, sino que privamos de futuro intelectual a las generaciones que ya comienzan a insertarse con el esfuerzo que todos conocemos en el campo productivo.

Avergonzados por la derrota de la utopía, que constituye nuestro principal fracaso, hemos sido lanzados a un duelo patológico, en el cual nos rehusamos a reconocernos en nuestros orígenes y en las virtudes de nuestros padres teóricos. Somos hijos, sin embargo, y con el tiempo, de las propias representaciones que nuestra mente guarda de aquellos que nos engendraron, y la intelectualidad argentina tiene su destino inevitablemente ligado a las ideas más avanzadas del siglo XX. Su intención de desprenderse de ellas sin darles una nueva dirección la reduce a la inmediatez, y es engañosa, porque agazapadas en el fondo de nosotros mismos, no podemos renegar su existencia ya que constituyen nuestro único capital.

Quienes se jactan de no sufrir el dolor de la pérdida de esperanza por un mundo distinto "porque nunca creyeron", dan cuenta de un razonamiento tan lamentable como el de quien fuera al velatorio de la mujer de su amigo diciendo: "qué suerte que nunca me enamoré, para no tener que sufrir lo perdido". A diferencia de ello, quien ha amado puede volver a amar, porque un desencantado es siempre alguien que sufre por el encantamiento previo, pero esta circulación constituye una manera de estar vivo, ya que podemos defendernos de todas las ilusiones, pero estaremos muertos antes de dar batalla si renunciamos a la esperanza.

Nuestra producción está atravesada de síntomas, efecto de nuestra imposibilidad de recomponernos aún de nuestras derrotas –que yo sería muy cuidadosa en calificar en su conjunto como errores. Hemos devenido "razonables", pagamos demasiado caro el salto de la esperanza a la ilusión; se fracturó en muchos momentos la pata que nos sostenía en el principio de realidad. Los que sobrevivimos tenemos una deuda con la vida: como los judíos post-campo, debemos ser "respetables" para que nuestra voz se oiga, para que nuestra memoria se conserve, para que no todo desaparezca. Sin embargo, la persistencia de nuestra presencia no siempre garantiza la persistencia de nuestro ser.

Conocemos nuestro lado flaco: fuimos dogmáticos en la mayor parte de los casos, trasladamos la religión a la ciencia, a la política, a la filosofía, lo cual nos obliga a ser cautelosos; ¿cuáles son los límites, sin embargo, de esta cautela? Ellos están dados, en mi opinión, por la necesidad de no confundir respeto, en el marco de la democracia política, con relativismo intelectual ante el sufrimiento entorno. Las consecuencias de esta confusión se ponen en evidencia en la carencia, más allá de uno u otro intento aislado, de una reflexión profunda acerca de la condición humana en las circunstancias históricas en que nos toca vivir.

No siendo la Universidad hoy un espacio devastado por el accionar represivo, corre sin embargo el riesgo de devenir una institución inoperante desde el punto de vista de formar inteligencia, intelectuales críticos, si cede sus objetivos más importantes a la eficacia de un saber tecnocrático. Sabemos de los límites de la producción de conocimientos en el marco de la subordinación material y moral que se pretende de nuestro país a partir de las deudas contraídas como efecto más del robo y la expoliación que de la mala administración. Si en los países ricos las grandes corporaciones se permiten la donación de fondos a las instituciones de investigación para que puedan ejercer todos los devaneos necesarios para el progreso del espíritu, la propuesta para nosotros, las factorías de la periferia, es la de reducirnos a investigación de segunda y a la ausencia de saber no aplicable en lo inmediato. Pero no nos confundamos: es precisamente de la tensión existente entre investigación destinada a la aplicación inmediata y pensamiento científico o filosófico deambulatorio y sin objetivo inmediato que surgen los verdaderos conocimientos futuros, que se producen las ideas que constituyen los grandes saltos del pensamiento humano.

He definido como "malestar sobrante", desde la perspectiva que me compete, a esa cuota de malestar extra que nos vemos obligados a pagar en ciertos casos más allá de las necesarias e imprescindibles renuncias que toda vida social impone. Y el malestar sobrante no se reduce, en nuestra sociedad actual, sólo a la dificultad de algunos de acceder a bienes de consumo, ni tampoco es efecto únicamente del dolor que podemos sentir otros, más afortunados materialmente pero en tanto sujetos éticamente comprometidos y atravesados por ciertos valores que nos vinculan a la categoría general de "semejante", por disfrutar beneficios que se convierten en privilegios frente a la carencia entorno.

El malestar sobrante está dado, básicamente, por el hecho de que la profunda mutación histórica sufrida en los últimos años deja a cada sujeto despojado de un proyecto trascendente que posibilite, de algún modo, avizorar modos de disminución del malestar reinante. Porque lo que lleva a los hombres a soportar la prima de malestar que cada época impone, es la garantía futura de que algún día cesará ese malestar, y en razón de ello la felicidad será alcanzada. Es la esperanza de remediar los males presentes, la ilusión de una vida plena cuyo borde movible se corre constantemente, lo que posibilita que el camino a recorrer encuentre un modo de justificar su recorrido. Por eso en la propuesta que cada sociedad tiene para los niños se ve claramente el carácter real de sus expectativas futuras.

Desde esta perspectiva, tal vez la tarea de los intelectuales consista en la recomposición de las vías para evitar que el malestar sobrante que acompaña el sufrimiento que hemos denominado "dolor país" devore su pensamiento, en la posibilidad de instrumentar nuevas preguntas con respeto por la historia pero sin que la nostalgia por el pasado o la reificación del presente inunde las posibilidades creativas. Si esto se logra, si el contrato implícito de los intelectuales con nuestro tiempo lo posibilita, la denuncia puede no redundar en queja y la dificultad no cerrarse en autocomplacencia frente a las dificultades.

4

La difícil tarea de ser joven

Si toda sociedad crea significaciones específicas que estructuran las representaciones del mundo[6], representaciones que constituyen el marco en el cual se designan los fines de la acción y se definen los tipos de los afectos característicos, es inevitable que una sociedad inestable, atravesada por acontecimientos históricos aún no metabolizados y cuyo movimiento no garantiza que se encuentre en tránsito hacia lugar previsible alguno, no pueda homogéneamente determinar el marco representacional en el cual se inserten las generaciones que acceden a la Historia. Este es tal vez nuestro mayor drama, pero quizá también nuestra mayor esperanza, porque en los intersticios de la cerrada malla de desesperanza y desidentificación que envuelve por igual a todas las generaciones de esta Argentina del 2000, se cuelan los sueños y esperanzas adormilados de cuyo trasfondo puede advenir un proyecto.

La categoría "juventud" no remite a una simple cuestión cronológica. Porque si bien se define en el marco de esa etapa de la vida que está entre la adoles-

---

6 C. Castoriadis, *El ascenso de la insignificancia*, Cátedra, Madrid, 1998.

cencia y algo posterior –la vejez para algunos, la madurez para otros–, en su definición siempre se hace alusión a la energía, vigor, frescura, que constituye sus rasgos principales. Por eso subjetivamente, y no sólo a nivel individual sino en el conjunto de representaciones sociales, "juventud" alude inevitablemente a la posibilidad de goce y futuro: "perder la juventud" puede ser tanto del orden del desaprovechamiento del tiempo de construcción de una perspectiva de vida como de la ausencia de placer, de los aspectos lúdicos que la acompañan. Frases como "me robaron la juventud", "yo no pude aprovechar mi juventud", dan cuenta del posicionamiento con el cual alguien se confronta a esa etapa que considera del orden de la temporalidad que acaece y a través de la cual transcurre su vida.

Por eso no es absurdo preguntarse cuánto de juventud atraviesa esta etapa de quienes hoy tienen en la Argentina la edad que supone su ejercicio, su apropiación, su disfrute. Reducidos a la inmediatez de la búsqueda de trabajo, o inmersos en una vida universitaria cada vez más costosa desde el punto de vista moral y económico, nada garantiza que el tiempo permita el devenir de algo que culmine o dé curso a una perspectiva de avance. Entre la conservación de lo insatisfactorio y el temor a perderlo porque nada augura su relevo por algo más fecundo o placentero, no hay postergación sino vacío, ya que tampoco hay garantías de que los tiempos que vienen se constituyan realmente en futuro. Conocemos los afectos dominantes que definen esta etapa del país: de la rabia a la desilusión, la alternancia no deja sino pequeños resquicios por los cuales resurge la esperanza. Y ésta es breve: se reduce a pequeños movimientos individuales o colectivos, efímeros o que encuentran su continuidad en otra parte. Y aun aquellos que acabamos de presenciar en las últimas semanas de diciembre, que nos llenaron de juventud nuevamente el espíritu porque nos dieron por primera vez en mucho tiempo una pequeña apertura hacia el futuro, fueron rápidamente eclipsados. Y no por la represión que en otro país del mundo se consideraría brutal, pero que en estas tierras en las cuales aún se desplazan las sombras de treinta mil víctimas no alcanza a convocar a un entierro popular masivo porque nos hemos habituado demasiado a no velar todos juntos a los nuestros ni siquiera ahora que tenemos el derecho de enterrarlos, sino porque el sistema político rápidamente se cerró sobre el hiato y lo vendó sin dejar una mecha para que siga drenando, sin limpiar los restos necrosados que lo siguen arrastrando a su decadencia.

Por eso el éxodo que está en el horizonte mítico de toda la sociedad argentina no es sólo un síntoma de la ausencia de salidas, sino del abandono de su búsqueda. El proceso de desidentificación se acelera, y el sentimiento de pérdida de referentes abarca a todos los grupos, sean sociales o generacionales. Cuando De la Rúa era aún presidente de la Nación dijo, ante el éxito de los jóvenes futbolistas del Sub '20, que se sentía muy contento porque "ahora esos muchachos podían encontrar buenas oportunidades en el exterior"; su discurso no sólo fue patético, sino rayano en la inmoralidad, en la medida en que convalidaba la idea presente en la mayoría de que la única salida posible es hacia el exterior. Como el conjunto de nuestra sociedad, el fútbol argentino se sostiene porque sigue nutriéndose de talentos que llenan el vacío dejado por el drenaje al cual está sometido constantemente; drenaje que no es sólo el producto de la voracidad de los dirigentes sino de la resignada aquiescencia de la hinchada convencida de que no hay ya posibilidad dentro del territorio que va de los Andes al Atlántico de que algo pueda fecundar, crecer y reproducirse en un ciclo sin fracturas.

La imagen de un joven de dieciocho años baleado en Gral. Mosconi[7] en el marco del sofocamiento del intento desesperado de los piqueteros por generar algo distinto a su miseria cotidiana y a su tiempo sin futuro, constituye un paradigma terrible de la juventud que no puede ya optar: cuadripléjico como resultado del ataque sufrido, recuesta su cuerpo paralizado en un colchón asentado sobre ladrillos que lo separan de un piso de tierra, en el interior de una casilla de madera sin ventanas que la gente del lugar construyó para él, su madre y ocho hermanos, en aras de brindarle algo más confortable que las paredes de cartón y el techo de lona con el cual se cubrían antes de que quedara reducido a la inmovilidad.

Pero detrás de esta representación actualizada de la Pasión, se perfila el sacrificio colectivo de sus pares y los restos de un país solidario que puede aún renunciar ya no sabemos a qué elementos cotidianos de autosubsistencia para armar la precaria instalación que le

7 Localidad de la provincia de Salta en la cual se ha instalado fuertemente el movimiento piquetero. (N. del E.)

da entorno al semejante. Y es aquí donde retorna el sentido que posibilita constituir un espacio para los jóvenes, en virtud de que se articulan significaciones que arrancan de la inmediatez autoconservativa a la cual parecería condenar la situación actual. Es desde esta dimensión que se abre la posibilidad de producir un proceso de identificación recíproca que permite recuperar la condición de humanidad en riesgo: construcción cotidiana de sentido, de propuesta, de proyección futura, he aquí los requisitos de una humanización posible que genere condiciones para que cada uno se sienta re-identificado a sí mismo.

Porque lo brutal de los procesos salvajes de deshumanización consiste, precisamente, en el intento de hacer que quienes los padezcan no sólo pierdan las condiciones presentes de existencia y la prórroga hacia adelante de las mismas, sino también toda referencia mutua, toda sensación de pertenencia a un grupo de pares que le garantice no sucumbir a la soledad y la indefensión. Y es allí, en esta renuncia a la pertenencia, a la identificación compartida, donde se expresa de manera desembozada la crisis de una cultura, y la ausencia en ella de un lugar para los jóvenes.

La Argentina de los '80 puso de manifiesto que los viejos ya no tenían un lugar en el cual sostenerse, y que todo lo sobrante sería recortado. La categoría familiar "abuelo", con la que se intenta el reemplazo de la socioeconómica "jubilado", marca el pasaje de la deuda contraída por la sociedad con sus trabajadores al intento engañoso de hacerla entrar en el registro de la compasión y la beneficencia. En los '90, el abandono del Estado de sus responsabilidades educativas fue acompañado de la patologización de los procesos de aprendizaje, la medicación a mansalva y la transformación de la infancia en un estadio definido por el adiestramiento para la vida productiva más allá de toda socialización y al margen de toda formación: inglés, computación, portugués –mientras el Mercosur exista– para quienes aún pueden aspirar a una vida con inserción laboral; limpieza de vidrios de autos en los semáforos, apertura y cierre de puertas de taxis, mendicidad organizada, para aquellos que se insertan en los nuevos modos de trabajo bajo los cuales la marginalidad encuentra una salida para la autosubsistencia.

Y hoy llegó la hora de la liquidación de la juventud: contratos laborales que llegan a su renovación mensual, ausencia de perspectivas post-universitarias para quienes aún estudian, jornadas de 14 y 15 horas de trabajo que no dejan margen ni para el café con los amigos ni para la vida cultural o social que llenaba antes las horas del ocio productivo en las cuales se completa la formación de un joven, para aquellos que aún tienen trabajo actual o futuro. Y el resto, que se pudra entre el *tetrabrick* y la deambulación marginal, si una bala certera –no errática– de las fuerzas del orden no da un corte si no precoz al menos anticipado a esas vidas que no pueden considerarse jóvenes ya que se constituyen en un tiempo sin pasado y sin espera, un tiempo sin historia que sólo podrá llenarse cuando algo lo resignifique en el marco de una prospectiva.

Por eso la recomposición de las representaciones compartidas no es una tarea marginal en virtud del argumento de que lo único que cuenta son los grandes problemas de la economía. Nos han habituado en los últimos tiempos a la propuesta de pensar desde un reduccionismo financiero a partir del cual parecería que todo lo que es del orden de la aspiración social, de los sueños y deseos colectivos por un futuro mejor, es pura imaginería carente de principio de realidad. Es acá donde se opera el mayor despojo padecido: no ya el de los proyectos, sino el del derecho a soñar con una prospectiva distinta en la cual no se trate sólo de perder menos sino de permitirse aspirar a más.

Conocemos los dos grandes peligros que acechan al psiquismo en situaciones como la presente: la pérdida de investimientos ligadores al semejante, que dejan al sujeto sometido al vacío y lo sumen en la desesperanza melancólica del desarraigo de sí mismo, y la desidentificación de sus propios ideales, de aquello que alimenta no sólo la esperanza del yo en su atravesamiento amoroso de llegar a sentirse querible por sí mismo, sino porque realiza, de algún modo, algo del orden de las generaciones engarzándose en un devenir que le permite sortear el horror de la propia muerte. Sabemos también que no basta con la disminución de las tensiones para que un ser humano se sienta vivo, y que la resolución de lo autoconservativo es insuficiente si no se sostiene en un orden de significaciones en contigüidad con una historia que le garantice que el sufrimiento presente es necesario para el bienestar futuro, tanto de sí mismo como de la generación que lo sucederá, en la cual cifra la reparación de sus anhelos frustros y de sus deseos fallidos. Es desde este lugar que podemos, tal vez, contribuir junto a otros a recuperar el concepto de "joven", no ya como una categoría cronológica, ni por supuesto biológica, sino como ese espacio psíquico en el cual el tiempo deviene proyecto, y los sueños se tornan trasfondo necesario del mismo.

5
La salud política

Hay en el campo argentino una antigua ley contra el cuatrerismo que dice que se puede matar un cordero por hambre pero que el cuero debe ser dejado en el alambrado. Es éste el signo de que se ha comido pero no lucrado, de que uno se ha apropiado de lo más vital pero que no ha hecho usufructo, de que se ha respetado la propiedad defendiendo al mismo tiempo lo único que no puede ser subordinado a ella: la vida humana. En ese país de la ley del anticuatrerismo humanitario durante generaciones los niños cantaron: los pollitos dicen pío pío pío, porque tienen hambre, porque tienen frío... La cantaron en el jardín de infantes, en esos años en los cuales el hambre y el frío eran cuestión, en la Argentina, de canciones y relatos. La cantaron antes de que los pollitos de San Sebastián[8], los miles de pollitos que quedaron condenados a muerte luego del cierre y despido de mil doscientas personas, se mataron a picotazos en su des-

---

[8] Empresa avícola perteneciente al monopolio Cargill, que al retirarse del país no actuó de modo muy diferente al cual lo han hecho en general estos capitales respecto a los habitantes: dejó a los pollitos encerrados en sus jaulas sin alimentos y sin preocuparse de darles algún destino menos terrible.

esperación porque nadie proveyó ya los granos con los cuales la matanza pudiera haberse evitado.

La noticia, paradigma del país trágico, salió en la sección financiera del diario, produciendo una metáfora viviente del canibalismo económico, trayendo la cuota de horror necesaria para que las cifras perdieran la opacidad detrás de la cual se oculta la desesperación. Un día después, Wang Zhao-He, conocido como Juan, el chino del mercadito, lloró desesperado frente a las bolsas rotas y los estantes destruidos en el marco del saqueo que liquidó simultáneamente su cotidianeidad y las posibilidades de traer a su mujer y a su hijo, de 12 años, a la Argentina. Allá en Fujian, cerca de la costa y en medio de las plantaciones de té, desde donde vino como nuestros abuelos buscando otra vida, soñando con un sueldo de 500 dólares y cajas y cajas de arroz alineadas con su gallo erguido custodiando los granos[9], no supuso que los pollitos de San Sebastián venían a remedar, de manera parabólica, aquel punto de partida, el hambre ancestral de generaciones que lo precedieron, el fantasma terrible de las hambrunas con las cuales sus compatriotas convivieron durante miles de años, y que sólo empezaron a dejar atrás hace apenas quince años, cuando aún los niños argentinos cantaban de los pollitos que tenían hambre y frío.

Pero los picotazos sólo volaron las plumas de los grandes supermercados y dejaron tendidos a los pequeños propietarios, en un país desgarrado donde vecinos

---

[9] Se trata de la figura impresa en las cajas de arroz de una de las marcas más conocidas del país. (N. del E.)

que se arman contra vecinos suben a las terrazas y encienden fogatas para custodiar sus precarios bienes, y los saqueadores mayores se desplazan de la City a las oficinas de gobierno, de las consultas en el exterior a las reuniones en las cuales se reparten los desechos que las grandes corporaciones les deslizan. El saqueo de los habitantes de la villa que avanzan sobre los malposeídos que tienen algunos colchones y una heladera en la cual hay todavía comida, que compran sus ropas con sueldos que no se sabe cuánto tiempo aun más van a cobrar, o que intentan conservar tienditas cada vez menos provistas cuyos impuestos no pueden sostener y a las cuales tal vez la inflación las deje sin stock, debe constituir no nuestro terror sino nuestra vergüenza, ya que hemos permitido que impunemente se construyeran countries fenomenales en medio de la miseria entorno, y se dieran todas las muestras de insensible ostentación que sólo algunas rejas pretendieron proteger si no velar. Por eso las fogatas que se levantan en los barrios pauperizados de lo que el proceso de acumulación salvaje dejó de las capas medias bajas señalizan como las balizas espontáneamente armadas en la ruta el camino accidentado que hoy debemos desandar.

Pero esto no puede ocultar lo que realmente produjo un salto en la perspectiva política de la Argentina, que tuvo muchos saqueos en estos años pero ninguna pueblada. Porque lo que ganó realmente el primer round de la batalla que restituyó la esperanza fue la recuperación de la dignidad, del sentimiento de volver a tener una cabeza que había sido primero desgastada y luego volada, cabeza que podía ser llevada nuevamente sobre los hombros sin la profunda humillación que la abatió durante tanto tiempo.

Y más allá de los picotazos desesperados o resentidos –resentimiento que algunos enjuician desde una moralidad que parece desconocer que si es verdad que la pobreza no genera en sí misma brutalidad, la acumulación de desilusión es la fuente mayor del odio, y esta acumulación en este país nuestro ha tomado un carácter ya no sólo dramático sino lindante con lo obsceno– hay algo que se acaba, que de una u otra manera se acaba, que se acabó en la batalla de las cacerolas y de la plaza gaseada, sin que podamos siquiera acusar de perversidad a un presidente signado por la debilidad, ambición y soberbia que lo hizo sostenerse en lo más bajo de las tradiciones partidarias.

Sabiendo por otra parte que lo que se acaba no es sólo un gobierno de ineptitudes, ni tampoco sólo un modelo económico que da cuenta del fracaso de una vertiente que hoy fue la convertibilidad y mañana la flotación, pasado la dolarización o el quinto día la devaluación, sólo para seguir haciéndonos cargo de una hipoteca de la cual no usufructuamos y que tampoco elegimos, aunque tal vez dejamos que se montara –bajo los militares por el terror, y en democracia porque confiamos en los nuestros mientras la marea económica los iba llevando a ser cada vez menos nuestros, cada vez más ellos– y porque en este bendito país una generación pensante fue aniquilada y otra devorada por los fantasmas del pasado. Se acaba un modo de gobernar en el cual ha fracasado el conjunto de la clase política, cuya mayoría siguió mostrando un grado de insensibilidad procaz cuando vitoreaba y aplaudía sus pequeños éxitos corporativos para sostenerse aunque sea un tiempito más, al costo que fuera, sobre el cadáver caliente de un país que expresó en los Muertos de Diciembre la representación misma de su agonía y de su derecho a no subirse al tren de la desintegración y la muerte bajo las reglas que le pretendieron imponer en el cerco del deterioro y la resignación.

Por eso la Plaza de Mayo, plaza trabajosamente ganada y dramáticamente defendida, en la cual lo terrible no es la falta de baldosas que la gente arrancó sino el hecho de que no habiendo existido en ella víctimas desde el '82, volvió a ser ocupada simultáneamente por la esperanza y la muerte. Allí se constituyó el gran laboratorio de recomposición de la subjetividad devastada, el lugar en el cual cada uno pudo percibir que si bien no siempre hacemos lo que queremos, tenemos el derecho de rehusarnos a lo que no queremos hacer, a lo que no queremos ser, y en particular, a que nos hagan desprendernos de nosotros mismos en un proceso de desidentificación que nos obliga a despojarnos de principios y esperanzas. La dignidad con la cual se defendió ese espacio histórico constituye el escenario en el cual se dio curso al derecho a recuperar una democracia no bastardeada, no de administradores sino de gobernantes sensibles y preocupados por la participación equitativa en las riquezas que aún podemos construir o recuperar, siendo éste el gesto de salud política más importante de los argentinos en muchos años.

6

El sostén subjetivo de una Etica

El relativismo moral se produce en el momento mismo en el cual la explicación de un hecho deviene su justificación; en el instante en el cual la profunda revulsión que produce un acto atentatorio contra la condición humana se convierte en una descripción aplacatoria de las causas que llevaron a su producción.

Un viejo film llamado *La noche de los generales* relata la historia de un investigador que, en pleno régimen nazi, se dedica a develar la muerte de una serie de mujeres –prostitutas de profesión– cuyo asesino resultó ser un general de alto rango del régimen. La búsqueda del culpable en este contexto deviene un paradigma de la defensa de la ley y la vida en las condiciones más extremas, y del consiguiente castigo para quien atenta contra ella, dando cuenta de que algunos aspectos del contrato interhumano exceden lo circunstancial, y se plantean como premisas de la humanización. Porque los hechos singulares, aquellos que tienen caras y nombres, nos arrancan de la cómoda molicie del anonimato de las victimas y nos imponen la convicción de nuestra profunda imbricación al semejante.

Si el remanente ideológico del nazismo fue la pérdida de la capacidad de asombro de los hombres frente a la muerte y el desdibujamiento de los límites entre el bien y el mal, parecería que éste es el intento que, con las mismas características, sometió durante algunos años a la sociedad argentina ante los efectos del terrorismo de Estado.

Sin embargo, al modo del personaje de la película que acabo de recordar, algunos episodios en las condiciones de nuestra vida actual dan cuenta de la profunda vocación del hombre por sostenerse en el marco de una ética que trasciende la historia inmediata. De allí la sensación de extrañamiento esperanzado que suscita la denuncia y reclamo de esclarecimiento de la muerte de un soldado en un cuartel, o de una niña asesinada por miembros de un feudo provincial. Y, en los últimos días, en el marco del intento de recuperación por parte de algunos de sus depósitos bancarios, como se dice y es cierto, pero por parte de muchos de reencontrar la dignidad y volver a sentirse con derecho a vivir en un país diferente, de la expulsión del ministro de justicia del gobierno menemista –símbolo de la corrupción de la justicia– de un shopping en el cual quinientas personas lo abuchearon.

Y esto se produce como recuperación de la dignidad ante los profundos traumatismos y decepciones por los que viene atravesando la sociedad argentina desde hace tantos años, dando cuenta de la posibilidad de comenzar, de una vez por todas, a buscar un camino distinto para saldarlos.

Uno de los restaurantes más tradicionales de Mendoza, "La Marchigiana", ha cerrado temporariamente sus puertas a los funcionarios gubernamentales y puso un pendón negro en la puerta, hasta que se resuelva el atraso del Estado en aportar los fondos para los programas de alimentación infantil en barrios pobres. La decisión no ha sido sólo ética respecto a la resolución tomada, sino también en el modo con el cual se realizó, luego de un fuerte debate interno, en el cual participó el personal de la empresa. Un día antes su dueño, Fernando Barbera, aun sabiendo que la resolución tendría un efecto fuerte en las ventas del restaurante, había expresado: "A nosotros no nos está yendo mal, pero vemos lo que pasa alrededor, y es como ganar al póquer en el Titanic" [10].

Todas las teorías morales, aun las más escépticas, constatan que el hombre no puede vivir sólo para sí mismo. Más allá de los cambios históricos, más allá de los valores dominantes en una u otra época, ciertos aspectos del contrato interhumano exceden lo circunstancial, se plantean como premisas de la humanización. El otro hombre, escribe Emmanuel Levinas, me despierta de mi espontaneidad de sonámbulo, quiebra el imperialismo tranquilo e inocente de mi perseverancia en el ser, y me pone en la imposibilidad de ocupar el mundo como una vegetación salvaje, como una pura energía, como una fuerza de hecho. Mi libertad no es la última palabra, yo no estoy solo. Sin hacerse anunciar, el Otro, el Prójimo, entra en mi vida, su cara desnuda, inviolable, expuesta y sin embargo sustraída a mis poderes... Esta intrusión, este desarreglo, es mi nacimiento al escrúpulo [11].

---

[10] Diario *Los Andes* (Mendoza), 30 de diciembre de 2001, A 16.

[11] Emmanuel Levinas, *Du sacré au saint*, Ed. de Minuit, Paris, 1977, p. 21.

En esta presencia insoslayable del semejante se encuentra el fundamento mismo de la Etica. Porque algunos aspectos del contrato interhumano exceden lo circunstancial y se plantean como las premisas mismas de su existencia. El hecho de que los seres humanos sean crías destinadas a humanizarse en la cultura articula un punto insoslayable de todas las tensiones subjetivas que la articulan con el mundo: la presencia del semejante es inherente a su constitución misma. En el otro se alimentan no sólo nuestras bocas sino nuestras mentes; de él recibimos junto con la leche el odio y el amor, nuestras preferencias morales y nuestras valoraciones ideológicas; el otro está inscripto en nosotros, y esto es inevitable.

Es esta condición de base de la transformación del cachorro humano en ser humano la que genera la expectativa de reencuentro con la solidaridad y el compromiso con el otro humano, en razón de que el semejante no puede dejar de arrancarnos, con su presencia tensionante, del egoísmo. Es el hecho de que nuestra vida haya sido valiosa, amorosamente, desde su inicio mismo, para otro, y que su vida a su vez haya sido la condición misma de nuestra existencia, no sólo material sino subjetiva lo que constituye el fundamento de la ética como reconocimiento de nuestra obligación hacia el semejante.

Nuestra vida cotidiana parece estar atravesada, constantemente, por sistemas de fuerzas enfrentados respecto a los ideales y a los modelos posibles. Una conocida revista que se dedica a retratar a personajes notorios ofrece, página por medio, un funcionario que simultáneamente sale en los diarios mezclado en un escándalo por narcotráfico, trata de blancas o malversación de fondos públicos. Se los ofrece como modelos de éxito y de buen vivir, en forma absolutamente disociada respecto a las noticias que diariamente sacuden al país.

Simultáneamente, la indignación ante la corrupción desembozada vuelca una elección, participa en la destitución de un presidente, voltea a otro, poniendo de manifiesto el deseo de recuperar modos contractuales regidos por limitaciones de la impunidad. En esta cuestión del contrato radica el fundamento de la Etica: el contrato no pone fin a la violencia del otro, a un orden –o un desorden– donde el hombre es el lobo del hombre. *En la selva de los lobos, ninguna ley puede ser introducida*[12]. La discusión sobre la corrupción no es simplemente una toma política de partido. No remite a un universalismo abstracto sobre el bien ni puede subsumirse en un relativismo que anule la cuestión. Cuando se roban los fondos de los jubilados o las cajas de ropa y comida que la ciudadanía, solidariamente, dona para los inundados, se transgrede una ley moral de la sociedad: la de preservar la vida, a los niveles más elementales que fueran, de quienes constituyen la comunidad de pertenencia.

Reducir lo que ocurre hoy en la Argentina a un acto de economicismo degradado contra el corralito financiero es sumar más desprecio al que ya ha recibido la población por parte de sus sectores gobernantes. Creer que lo único que motiva a quienes salieron a la calle en

12 Emmanuel Levinas, *op. cit.*

los días de diciembre de 2001 es la recuperación de sus fondos, los ahorros congelados, es no sólo banal sino injusto. Por supuesto que el cerco a los depósitos bancarios produjo indignación, pero no sólo por razones económicas, sino porque fue un gesto más de impunidad, un modo más de estafa moral, y no sólo económica, en razón de que todo esto fue realizado sin explicación, mintiendo la verdad que todos sabían: que los bancos no tenían el dinero para cubrir los depósitos porque durante años habían lucrado brutalmente con el dinero de sus depositantes. Y si la discrepancia entre las tasas de interés en la Argentina, entre las que se cobran por prestar y las que se dan a los pequeños inversores es absolutamente inmoral, la voracidad del sistema financiero se expresa en el modo perverso con el cual una operatoria definida por las reglas del saqueo termina por implicar, en los bordes, aun a quienes intentan conservarse en los marcos de la prudencia y la moralidad financiera.

De ahí que las tensiones subjetivas vinieran incrementándose en el país, en razón de que mientras los marginales aumentaban permanentemente, a índices que en los últimos tiempos llegaron a plantear la suma escalofriante de 2.500 personas que pasaban diariamente a formar parte de quienes están por debajo de la línea de pobreza, aquellos que aún poseen capacidad económica de supervivencia se vieron en la alternativa de gozar el bienestar inmediato que la estabilidad ofrece, a costa de la aniquilación física o moral de las generaciones anteriores, y de la destrucción del presente y el porvenir de quienes aún podrían tener futuro.

Como en *La noche de los generales*, ciertos acontecimientos devinieron entonces paradigmáticos no de la impunidad consuetudinaria –que ya conocemos y retorna de múltiples formas–, sino de la arraigada persistencia de una ética que resitúa la vida y la muerte –del semejante, de mí mismo– como fundamento de la existencia humana. Porque en algún lugar de la conciencia histórica colectiva una señal de alerta se encendió, y la contradicción de optar por la propia seguridad a costa del sufrimiento del otro se manifestó en toda su crudeza para algunos, y en otros la convicción de que ya no podían dilatar más la decisión de comenzar a pensar el futuro de sus hijos por sí mismos tomó cuerpo. Es así como el dilema político ha devenido dilema ético: las elecciones axiológicas pasaron a primer plano y la tensión inquietante del semejante hoy nos atraviesa y penetra las cómodas ignorancias cotidianas.

7

Losers y *Winners*, entre la excusa y la justificación

Que el lenguaje no cumple simplemente una función descriptiva de la realidad existente, sino que es capaz de crear realidades a partir de los modos de ordenamiento con los cuales la articula, constituye una afirmación más o menos conocida. Lo que es más trabajoso, tal vez, es darse cuenta de qué manera, en razón de que estamos inmersos en esa realidad misma, esas formas de expresión se van apoderando de nosotros hasta constituirnos en agentes discursivos de las propuestas ideológicas que las sostienen.

Tal es el caso de esa clasificación que ha surgido hace algunos años y tiende a tornarse parte del lenguaje común; traducción directa no sólo de la lengua inglesa sino de una de las formas con las cuales el capitalismo salvaje va creando modos de vínculo y formas de apreciación de la realidad. Se trata de la diferenciación entre *losers* y *winners*, o, como se ha comenzado a decir con mayor frecuencia de lo reconocido en nuestra propia tierra, entre ganadores y perdedores. La forma con la cual se arma el par es interesante, porque alude a una bipartición que deviene categoría en un par de opuestos, abstrayendo entonces un rango que abarca a un conjunto de seres, y deja de ser un elemento puntual en el marco de una situación concreta.

Ya no se trata de ser "*el* ganador" de un concurso, de un sorteo, de una situación de competencia cualquiera, sino "*un* ganador", alguien que pasa a pertenecer a un conjunto de seres que tienen ciertos atributos que los diferencia. Y es en este pasaje de "*el*" a "*un*" donde se marca la pertenencia a una especie, a un rango que articula una categoría que permanece más allá de la situación, transformándose así de descriptiva en valorativa. De modo tal que se genera una bipartición de la sociedad en dos estamentos claramente diferenciados: ganadores y perdedores, y la pertenencia a una u otra categoría no sólo marca posibilidades diversas, sino también una valoración en la cual el sujeto perteneciente al rango perdedor no sólo no recibe los beneficios que da el ganar sino que es estigmatizado por el hecho de perder.

Porque casualmente, el ser un perdedor o un ganador se define desde esta perspectiva, en última instancia, por el éxito social alcanzado, en estado puro, más allá de toda valoración de otro orden, nucleándose alrededor de un rasgo que constituye el punto máximo alrededor del cual gira el sistema social de valores: "uno no gana porque vale, vale porque gana", como dice Castoriadis[13]. Articulado esto alrededor de la capacidad de ganar dinero o de lograr prestigio social, este rango de precipitación ideológica del narcisismo compartido, se constituye como el eje de toda posibilidad de reconocimiento, y ello no sólo como propuesta externa sino como modo mismo de polarización de la

---

13 Cornelius Castoriadis, *El ascenso de la insignificancia*, p. 131, Cátedra, Madrid, 1998.

subjetividad, vale decir como modelo y proyecto identificatorio, en razón de lo cual insertarse en la parte superior de la pirámide (cuya base es cada vez más amplia y su cúspide más pequeña), deviene no sólo una meta sino una forma de autovaloración, de autoreconocimiento narcisístico, sin que quienes en ello se ven atrapados –como ocurre con el modo general de operar de la ideología– tengan posibilidad de descubrir bajo qué formas esta inserción subjetiva se realiza.

El elemento más complejo de la cuestión, el que más graves efectos trae para la subjetividad de los implicados –más allá de toda valoración ética que bien podría ser retomada para mostrar la presencia en el lenguaje en un estudio de los modelos con los cuales se constituyen los sistemas de valores en nuestra sociedad actual– radica en que la sociedad civil inflige una nueva lesión a aquellos a quienes el funcionamiento económico del sistema ya ha dañado gravemente despojándolos de sus posibilidades de trabajo y marginándolos de sus lugares habituales de supervivencia moral y material. En razón de lo cual alguien que ha sido expulsado de su trabajo no sólo padece la angustia de supervivencia que ello acarrea, sino la condena moral de ser un perdedor, la crítica implacable del superyo que lo cuestiona por su inutilidad y falta de iniciativa.

Vayamos entonces al modo con el cual una clasificación de este orden, cuya inmoralidad extrema puede ser fácilmente detectada, se gesta socialmente. Es indudable que ella es efecto de formas de representación colectivas que imponen coagulaciones de sentido a los sujetos que pasivamente las recogen –no sólo a quienes es aplicada sino a aquellos mismos que las aplican. Y en el centro mismo de estas representaciones está la transformación de la responsabilidad social en condena como coartada ante la culpa que genera, en los sujetos éticos que se sienten convocados por la disparidad de condiciones a las cuales se ve sometido el semejante, en condena y re-marginalización.

En un texto publicado hace ya varios años, titulado "En defensa de las excusas"[14], J. L. Austin propone una distinción conceptual entre dos términos: *excusa* y *justificación*, con el propósito de mostrar cómo el estudio de las primeras puede contribuir al desarrollo de una interpretación de la conducta en función de la elaboración de una teoría de la ética que se sostenga en el empleo del lenguaje como modo de la acción.

Se trata de ver de qué modo el sujeto responde ante la interpelación de haber hecho algo considerado malo, injusto, inoportuno. Una manera de proceder, dice, consiste en admitir simple y llanamente que él, o sea X, hizo esto a A, pero alegando que era algo adecuado, bueno o permisible, ya sea en general o por lo menos en las circunstancias particulares de su caso. Esta es la línea de la *justificación*. Otra forma es aquella en la cual se admite que lo hecho no fue bueno, pero se alega que no es del todo justo o correcto limitarse a decir simplemente que la acción fue realizada, ya que se descuidan las circunstancias en las cuales ésta fue realizada. X puede estar

[14] J. L. Austin, *Proceeding of the Aristotelian Society*, Vol. 57, pp. 1-30. Trad. castellana en Alan R. White, *La filosofía de la acción*, Breviarios del Fondo de Cultura Económica, Madrid, 1976.

bajo una influencia ajena –cuando realizó la acción imputada– o movido a actuar así. Se puede tratar de un accidente o de un descuido voluntario, o de algo ejercido en circunstancias en las cuales se alega no estar en condiciones de decidir.

Supongamos que A fue violada por X; el argumento justificatorio –inaceptable para alguien de nuestra cultura, o microcultura– es que X no tiene por qué dar explicaciones de su acción en razón de que su acción es perfectamente acorde a la moral entorno; chinitas y negras han pasado por esta situación sin que se pidiera –hasta María Soledad[15]– explicación alguna a los ejecutores de turno acerca de la conducta ejercida. Del lado de las excusas, y en nuestra moral social contemporánea, se puede esgrimir, ante la misma acción realizada, un argumento de otro orden: ¿hasta qué punto A no es responsable en parte de haber sido violada en razón de haber entrado al auto de X, o por el hecho de haber despertado en él una pasión o impulso violento dado que luego de haber aceptado sus galanteos o haber usado una ropa insinuante se rehúsa a la relación sexual esperada?

En la primera defensa se acepta la responsabilidad pero negando que se trate de algo malo. En la segunda se puede admitir que lo realizado es incorrecto, pero no injustificable dadas las circunstancias. Es en este último caso que estamos en el plano de las excusas, y no es difí-

---

15 El asesinato de María Soledad Morales en Catamarca constituyó un antecedente inédito en la Historia Argentina. El hijo de un importante caudillo de la provincia fue condenado a prisión luego de un proceso que alcanzó trascendencia nacional.

cil para cualquiera de nosotros ver en estas dos formas, *excusas / justificaciones*, el modo con el cual se ha producido el pasaje, en el discurso militar, de la apreciación de lo operado durante los años de la represión salvaje. De la justificación de la acción ejercida –que aún aparece más o menos encubierta en las formas con las cuales se intenta reivindicar a la institución de conjunto– a la excusa, hemos visto todos los matices. La justificación se sostuvo fundamentalmente durante los años de soberbia militar, cuando no había desde la sociedad civil voces suficientemente fuertes para establecer imputaciones. Cuando eso se derrumbó, apareció el plano de la excusa: no podíamos hacer otra cosa, intentábamos lo mejor y cometimos excesos... A nivel individual, por su parte, el exponente máximo de la conducta excusatoria desresponsabilizante se ejerció a través de intentar la inimputabilidad acogiéndose a la "obediencia debida".

Es indudable que, en este último caso y con vistas a poner de relieve la cuestión que nos ocupa, estamos dando ejemplos del tipo de excusa que se considera inaceptable. Se puede excusar uno de haber pisado un caracol, como dice Austin, diciendo que pisamos el caracol inadvertidamente, y alguien puede decir "deberías mirar dónde pones los pies". Pero esto no ocurriría del mismo modo si alguien pisa a un bebé. La "inadvertencia" no tiene cabida cuando se trata de excusar las acciones básicas que definen la relación al semejante en términos de vida-muerte, y en este caso la intencionalidad o no puede ser atenuante –como lo muestra el derecho penal– pero no justifica la acción bajo ninguna circunstancia.

Del mismo modo, podemos volver ahora, luego de este breve recorrido, a nuestro tema de partida: la diferenciación, en nuestra sociedad actual, entre "*losers*" y "*winners*" (perdedores y ganadores). Estamos acá claramente ante una diferenciación que intenta, mediante el uso lingüístico, derivar hacia las víctimas la responsabilidad de su marginación y desamparo. Siendo imposible la aceptación *ética* del disfrute de algunos ante el malestar y desprotección de tantos, el lenguaje viene en ayuda para otorgar una *explicación* que, en este caso, toma la forma de una *justificación*. Son las víctimas mismas del proceso salvaje de "reingeniería social" los perdedores, ineptos, aquellos de los cuales es necesario apartarse en virtud de sus defectos morales, de su incapacidad de ubicarse en las nuevas circunstancias. El desprecio larvado, disfrazado de compasión, es entonces la coartada que posibilita, a quienes sobreviven aún económicamente, sostenerse al margen, más allá, en este nuevo relevamiento del "por algo será", con el cual no cesa de asombrarnos la importación no sólo de modelos alimenticios de chatarra sino de modos de traducción de la discriminación social.

Con una consecuencia no por impensada menos esperable: el hecho de que las víctimas, integradas por quienes quedan constantemente expulsados de la vida productiva, incrementadas día a día por la disminución de la población económicamente activa o mínimamente remunerada, al quedar identificadas con la ideología que las discrimina, se autoacusan de su dificultad para formar parte, pertenecer o integrarse al estamento ganador; sumando así a su dificultad de supervivencia la representación devaluada de su propia imagen. De este modo, melancolizados los sujetos por el retorno del odio sobre sí mismos ante la imposibilidad de enfrentarse a nadie –por el anonimato con el cual el sistema diluye constantemente responsabilidades y presenta toda toma de decisión como de una racionalidad imposible de ser derribada– por una parte, y por verse sumergidos de pronto en el interior de la masa de "discapacitados" que no saben encontrar una vía de salida, por otra, se ven reflejados en una mirada social que no por compasiva es menos lesionante, dado que lo que se les reconoce no es un derecho expropiado sino una imposibilidad personal sustantivada como rasgo de carácter: "perdedor".

Por mi parte, establecí, hace algún tiempo, la diferencia entre dos aspectos que considero de utilidad para el análisis que hoy nos ocupa. Definí, por un lado, aquellos elementos que tienen que ver con el modo con el cual la autoconservación es tomada a cargo –vicariada, como estamos habituados a decir en psicoanálisis– por el sujeto, en tanto sistema de representaciones que determinan la posibilidad de la conservación con vida del organismo. Por otro, aquello que es del orden de la *autopreservación* del yo, en su recubrimiento parcial con la *autoconservación*.

La *autoconservación del yo*, vale decir los modos mediante los cuales el yo toma a cargo los intereses de la vida: conservación del cuerpo en tanto organismo, representación biológica de la supervivencia.

La *autopreservación del yo*: la forma mediante la cual el sujeto preserva la representación nuclear de sí mismo, bajo los modos de tensión narcisista que lo hacen plausible de ser amado por sí mismo, en su relación con las identificaciones y los ideales.

Es en situaciones límite donde se puede ver la ausencia de una identidad absoluta entre estos dos aspectos del yo: se puede mantener al organismo con vida (autoconservarse) a costa de un arrasamiento narcisístico, de un desmantelamiento de los modos habituales con los cuales el yo considera válida su existencia misma, situación que observamos con frecuencia en circunstancias de vida extremas: campos de concentración, terrorismo de Estado. Primo Levi lo ha descripto de modo profundo y terrible al relatar su experiencia en los campos de exterminio alemanes durante la Segunda Guerra Mundial: la necesidad de subsistencia arrasa con los núcleos mismos en los cuales el yo sostiene su identidad y permanencia, hasta que el ser humano llega a preguntarse, acerca de su propio cuerpo ya des-subjetivizado, "si esto es un hombre". Por el contrario, la autoconservación, la contigüidad de la vida biológica, puede ser sacrificada en aras de preservar la representación narcisística, identificatoria del yo, y el sujeto puede dejarse morir, o matar, antes que ceder estos aspectos sin los cuales siente que no podría seguir viviendo, ya que no podría seguir siendo.

Es tan sutil y desgastante el modo con el cual se produce la subordinación de la autopreservación representacional a la conservación de la vida en ciertas situaciones más cotidianas que, a diferencia de aquellas tan extremas como las descriptas, han sido poco exploradas por el pensamiento psicoanalítico. Ellas constituyen, sin embargo, el objeto mismo sobre el cual el psicoanálisis puede centrar la mirada para aportar algo al modo con el cual el impacto subjetivo de las realidades sociales ejerce el ensamblaje entre la ideología y su ordenamiento en los sistemas defensivos del sujeto.

En nuestra sociedad actual, en su cotidianeidad, el condicionamiento a los modos autoconservativos del yo tiende a un arrasamiento constante de las formas con las cuales la auto-preservación narcisística sostiene ideales y formas de autovaloración de los seres humanos. Obligados estos a deponer en aras de la supervivencia de sus modos habituales de vida las autorepresentaciones de sí mismos que sostienen el sentido de la existencia, la precariedad representacional de la misma se articula así en una coagulación de sentido en la biparticipación exculpante que toma dominancia pública. De tal modo, ser un "*winner*" es un anhelo y al mismo tiempo un modo de evitar la angustia extrema a la cual se puede quedar expuesto: "*excusa*" a partir de una coagulación que el significante "ganador" sostiene, de la desresponsabilización respecto al otro, constituido en "*loser*". "*Justificación*", en última instancia, ya que del "no se puede hacer otra cosa" se produce un corrimiento al "es correcto proceder así", en virtud de que el semejante ha devenido alguien sustancialmente destinado al fracaso, ya no víctima sino inepto, representante del contra-valor que posiciona, a quien se sostiene aún aferrado a algún punto de la pirámide, el significante del negativo del narcisismo.

8

The Matrix y el País virtual

Quinientos vendedores callejeros de choripán, ochocientos productores de chipá, mil quinientos acuclillados empresarios de esteras repletas de bombachas y medias desparramados por la ciudad, dos mil trescientos vendedores de garrapiñadas, ocho mil abrepuertas de taxis, quince mil vendedores de jazmines, los empresarios de la miseria, los cobradores del impuesto espontáneo a la marginación, han pedido que se les provea, con urgencia, de las maquinitas para hacer los vouchers que les permitan seguir vendiendo sus evasivos productos. En la cancha, los cafeteros avanzan por las tribunas recogiendo cheques: con una mano extienden el vasito de cartón humeante, con la otra recogen, entre los dedos, los papeles firmados con los que pagarán, al día siguiente, al verdulero de la esquina. En el kiosco del colegio los chicos ofrecen la tarjeta de crédito a la señora que en los diez minutos del recreo les provee las bolsas de papas fritas, firman la papeleta ya engrasada mientras buscan en el fondo del paquete el tazo de las Chicas Superpoderosas o de Dexter. El vendedor de churros parado en la puerta, en lugar de pedirle cambio al garrapiñero, le ofrece intercambiar la maquinita de American por la de Visa para cubrir los requerimientos de usuarios que no tienen variedad de plástico a disposición.

En un país sin analfabetos ni desocupación, se acabaron los evasores que sostienen su trabajo al margen del Estado. Seremos como todos los países, dijo el Ministro: como Inglaterra, como Francia, como Noruega, en los cuales todos los ciudadanos tienen cuenta bancaria y tarjeta de crédito –también tienen salud garantizada, seguro de desempleo, educación pública. Sólo por tres meses, dijo el Ministro, como si para este universo sin futuro y cada vez con menos tiempo de sobrevida que constituye ya la mayoría del país, existiera la semana próxima: el colectivo para llevar a los chicos al hospital se pagará con cheques al portador, el taxi, tal vez, con uno no a la orden. Como el PAMI colapsó, por suerte tenemos tarjeta de crédito para pagar los remedios del abuelo, la prótesis de la tía, la internación de la suegra... Y las mucamas por hora, ésas que no tienen ni cargas sociales, ni vacaciones ni aguinaldo, y en algunos casos ni siquiera la comida porque trabajan en una casa por la mañana y en otra por la tarde, ésas pueden cobrar con Bonos de la Deuda Externa, ya que es una inversión extraordinaria para alguien que tiene por delante varias generaciones para seguir pagando la obligación moral y material que contrajo, porque, en definitiva, "si todos gastamos, es justo que todos paguemos", como se escucha decir a algunos sin ruborizarse, y como "se acabó la fiesta", no parece necesario aclarar quiénes fueron los que tomaron y bailaron y quiénes los que limpiaron y estacionaron los coches, ya que estamos obligados a hacernos cargo del gasto.

El sábado 1° de diciembre de 2001 cayeron, limpiamente, otros dos millones de habitantes al espacio exterior[16]. La lenta agonía de dos mil quinientas personas que se sumergen diariamente por debajo de la línea de pobreza fue magistralmente superada en este proceso rápido e inexorable de construir un país en el cual sobran demasiados habitantes –y no sólo los extranjeros: paraguayos, bolivianos, rumanos, peruanos, sino también al menos la mitad de los argentinos que viven en el Buenos Aires que va de Rivadavia para la izquierda si uno se coloca mirando hacia Liniers, o que se desparraman inconscientemente en una parte importante de Rosario, Córdoba, Catamarca, Chaco, Entre Ríos, por nombrar algunos territorios en los cuales aún logran milagrosamente sobrevivir. Y ello sin que las víctimas lleguen siquiera a calibrar lo que les ocurre, porque lo brutal del proceso de deshumanización radica en que quienes lo padecen no sólo pierden las condiciones actuales de existencia y la prórroga hacia adelante de las mismas, sino también toda referencia identitaria, toda posibilidad de representarse en el horizonte de lo que les espera, toda referencia mutua, toda herramienta posible de organizar, mínimamente, algún enunciado que le dé sentido a lo que están viviendo.

Y los que no cayeron, los que todavía se sostienen aferrados a la esperanza en la cubierta de esta Nave de los Locos en la cual se ha constituido este país bendito de Dios, granero del mundo, exportador de científicos y futbolistas, de escritores miembros de academias extranje-

---

[16] Ese día se dio a conocer el famoso corralito económico, que impedía el retiro del dinero de los bancos y obligaba al pago de salarios con cheques, y al empleo del dinero virtual –cheques, tarjetas de crédito– como formas de transacción. (N. del E.)

ras, y en los últimos tiempos también de policías españoles y mozos italianos, ciudadanos que viajan a la deriva sobreviviendo a todo, pensando cómo mantener simultáneamente el trabajo y seguir, aunque sea, juntando algunos dólares –¿por qué no bajo el colchón, Sr. Ministro, si en las zonas que todavía no se han inundado sigue siendo el lugar más seguro para los ahorros, ya que siempre es preferible un hijo que les haga pis encima a un proceso financiero que los transforme en desechos evacuables?...– y bien, estos ciudadanos que aún pueden gozar del trabajo y desplazarse diariamente con la angustia contenida en la garganta saben que no hay otro remedio, que el sábado se salvó, aunque sólo sea por algún tiempo, el sistema financiero, y que con él, aunque perdamos algo, ganamos todos, porque si se hunde, irremisiblemente, el país se hunde con él, y no se salva nadie...

Y en esta brutal reducción al realismo económico no necesariamente nos transformaremos en Ecuador, o en Colombia, ya que podemos vivir la pertinaz supervivencia de Grecia, con sus ruinas maravillosas y sus poblaciones miserables, sin un Pericles o un Pitágoras, sin Micenas y Atenas, pero con un Puerto de Buenos Aires que alguna vez quiso realizar el sueño de Marco Polo, y los héroes criollos que dimos al mundo, y que nos enorgullecen con todo derecho, porque no sólo patearon el barro de canchas propias y ajenas sorprendiendo al mundo –y enloqueciendo de incredulidad por haber podido vencer el destino trágico de mateadores de villa al cual parecían condenados– sino por ser primeras figuras de los ballets más prestigiosos, y ganar con sus descubrimientos premios de ciencias arrancándonos de nuestro destino geográfico de país que sólo puede ganar el Nobel de la Paz por tener su gente la valentía de denunciar los crímenes cometidos por los gobiernos militares.

Porque en medio de los jacarandás florecidos que cubren de violeta el suelo que transforma a Buenos Aires en esa ciudad maravillosa que Borges consideró hoy con más razón que nunca "la capital de un imperio que nunca existió", en el corazón de la ciudad, al borde mismo del Riachuelo, el pulmotor financiero invertido bombea oxígeno hacia el exterior. Cortadas todas las arterias, estranguladas, anóxicas, necrosadas, la circulación toma el único carril abierto, y hoy un dedo, mañana las orejas, próximamente un ojo, los cuerpos se van vaciando en ese desangre cotidiano que va a nutrir los tejidos y órganos de la Gran Matriz con la cual la City se conecta. Cada vez que se evita el estallido que podría precipitar el estertor adelantado, cada vez que se logran conservar los cauces naturales, los drenajes previstos, se abre una nueva esperanza de que no todo esté perdido. El río de plata que desemboca del otro lado del continente conserva entonces su marea fluida, y un grupo de habitantes cada vez menor de ese cuerpo demolido que es la Argentina, siente que por unos meses, aunque sea por unos días, no se hundirá irremisiblemente, aunque el peso de los que van cayendo, lastre a desprender supuestamente necesario para seguir flotando, en lugar de aligerar, tire irremisiblemente hacia abajo.

Como en *The Matrix*, un universo de soñantes que aún creen estar vivos se desliza por un mundo ilusorio en cuyo escenario comen, aman, trabajan seres que, en realidad, alimentan al monstruo que los creó y le brindan el plasma necesario para sobrevivir. Quienes aún no vieron esta película extraordinaria pueden hoy encontrar en ella un modo privilegiado de representarse la realidad existente y sus derivaciones: La Matriz, la Casa Matriz, chupa la vida de sus víctimas, quienes una vez que han descubierto el secreto, advertidos de que el entorno en el cual viven es una creación que se sostiene en un mundo onírico –mundo virtual de shoppings y de torres, de restaurantes y de objetos maravillosos, de diseño y salud– mientras el cuerpo real permanece aprisionado por un parásito que se alimenta de él y lo va destruyendo, se ven confrontados al dilema: seguir ofreciéndose mansamente en esa ilusión de vida que captura o despertar en el entorno de miseria que la Matriz va dejando como despojo, para asumir dolorosamente que hay que atravesar ese enfrentamiento con la muerte de la ilusión para que la esperanza deje paso a una vida posible.

La Argentina, sin embargo, no es un país virtual como *The Matrix*. Es tan real, tan realística, que se ha quedado virtualmente sin futuro, sin una representación de futuro que transforme el tiempo virtual en proyecto real. Paradójicamente, nuestro problema no es despertar de un sueño, sino del letargo angustioso que padecemos diariamente, negarnos a vivir en el realismo seco al cual nos condena la convicción de que las soluciones son cruentas, cuando aún no se han planteado de un modo distinto los problemas, sin plantearnos que el diagnóstico de la enfermedad podría ser erróneo y rehusándonos a una amputación sin someterlo a revisión y rectificación. Ello antes de que la constitución de un mundo virtual de cheques y tarjetas, un mundo de papel y plástico que, ironía, ni siquiera es posible para todos, nos transforme en ciudadanos virtuales de un mundo real que se ha quedado sin representación.

9

Somos todos cartoneros

Acabado el país de la convertibilidad, ha comenzado el país del reciclaje. Los restos de esa etapa en la cual se nos quiso convencer de que entrábamos al primer mundo, o que, incluso, ya formábamos parte de él, se acabaron, dejando al país sembrado de computadoras de última generación, coches de todos los nortes, mortadelas y quesos italianos, mollejas tóxicas americanas, galletitas francesas y españolas, budines alemanes, medias suizas, y hasta botellitas de agua mineral francesas que vinieron a relevar aquellas producidas en nuestras termas mendocinas o cordobesas, y cuyos restos siguen hoy ocupando un lugar remarcado en las góndolas semivacías de los supermercados, ya que no pueden ser devueltas a sus países de origen ni vendidas al precio que supuestamente fue pagado. Para los pobres con ilusión consumista, los "todo por dos pesos" mantuvieron en los bordes pauperizados de la población las vajillas chinas y los yesos coreanos que algunos despistados creen que no sirven para nada, pero que llenan sin embargo el hambre de objetos con los cuales el sistema económico incrementa constantemente la ilusión de paliar el vacío de futuro y la ausencia de gratificación moral a la cual la sociedad civil se ve condenada.

Y estos pequeños goces que nos dimos, estas migajas del verdadero festín que transcurría en otros espacios, disfrutados por otros, usufructuados por otros, nos impidió tal vez reaccionar a tiempo, reclamar a tiempo, enojarnos a tiempo, para no convertirnos en los espectadores pasivos del verdadero saqueo al cual fuimos sometidos. Porque el borde mismo de la ciudad, en esa zona en la cual el Riachuelo se une al nunca mejor definido que hasta ahora "cinturón del gran Buenos Aires" en el cual se estrechan diariamente las hebillas millones de personas, frente al galpón en el cual se alimentó la ilusión del país inmigrante que desembocó durante años en esta tierra y que ahora se lleva hacia fuera los restos pauperizados de su descendencia, se levantan los edificios que reflejan el atardecer porteño con sus vidrios espejados, en los cuales no hay ni pintura descascarada ni ennegrecimiento por descuido, porque en ellos anida un pulmotor invertido que bombea todo el oxígeno hacia el exterior, que envía cotidianamente la sangre y los nervios de los habitantes de lo que alguna vez nos acostumbramos a considerar como Nuestro País. Y esos edificios del nunca mejor denominado que ahora, territorio de la City, fueron el predio desde el cual se evacuó, a lo largo de estos años, todo el dinero, dejando algunas propinas importantes en los socios criollos, muchos de ellos –es cierto– votados por nosotros mismos, mientras gastábamos las monedas en las góndolas repletas de la ilusión de que éramos un poquito menos pobres.

Y en la enorme montaña de chatarra en la cual de golpe se constituyó el país, chatarra de impresoras que pueden quedar sin cartuchos de tinta que no podremos pagar, o de autos cuyos repuestos ya no podremos importar, o de productos recargables inhabilitados, chatarra a la cual la inventiva nacional encontrará un destino, y que arreglaremos como siempre con tuercas que soñamos con comenzar nuevamente a producir, y con alambres que no queremos importar, y con piolines que alguien tendrá la paciencia de ovillar, habrá que diferenciar aquello que debemos reciclar de lo que debemos abandonar definitivamente en los basurales.

Y para ello no sólo tendremos que apelar a toda la inventiva, sino también a toda nuestra ética, a la recuperación de nuestras esperanzas históricas, a la reconformación de los enunciados que quedaron sepultados y que no pueden retornar tal cual, pero que merecen ser recuperados, porque anida en ellos lo mejor de nosotros mismos. Deberemos reciclar los conceptos de solidaridad y de justicia, y por supuesto, de mayor equidad, y también deberemos reciclar el derecho a una generación que viva no sólo tan bien como sus padres sino aún mejor. Deberemos reciclar el ideal de progreso, porque indudablemente si esto fue el fin de una historia, no puede ello ser confundido con "El Fin de la Historia", ya que esta historia recién recomienza en el punto en el cual fue aniquilada, y no sólo metafóricamente sino de manera factual, destruyendo a lo mejor de una generación que anhelaba un proyecto diferente. Deberemos reciclar el derecho de todos los niños del país a tener escuelas dignas, y por supuesto, de los viejos a tener medicamentos...

Deberemos reciclar la obligación moral de no dejar abandonadas a las generaciones anteriores ni desproteger a las que nos suceden, de considerar cada vida humana como valiosa y a su muerte como una tragedia, en virtud de lo cual deberemos también reciclar ciertos principios de convivencia por los cuales si los laboratorios y las grandes droguerías no entregan medicamentos sabiendo que su acción no sólo subordina la moral a la economía sino que el lucro que ejercen es homicida, deberán ser plausibles de penalización no económica sino criminal, y de recibir la condena de toda la sociedad.

Deberemos reciclar el derecho a ser enterrados dignamente en un país donde fue ya una bendición a lo largo de estos años que los cuerpos no desaparecieran, e incluso que fueran encontrados los restos mutilados de los seres queridos, pero en el cual aún los muertos de la pobreza deben esperar varios días porque las obras sociales no pagan a las funerarias y éstas se han desentendido del hecho de que su tarea no es sólo un negocio más sino una función social que existe desde los comienzos mismos de la humanidad...

Por lo cual deberemos reciclar el profundo horror que producen las muertes arbitrarias y los cuerpos insepultos, y reciclar la vieja idea de que las fuerzas públicas están para protegernos y no para matarnos y balear a nuestros hijos, o para dirigir las bandas delictivas más importantes del país... Deberemos reciclar la idea de que la Justicia es un bien público, y que su corrupción se va infiltrando a través del cuerpo social en su conjunto, y que si hoy los niños de todos los sectores sociales roban en la escuela es porque sus padres no les han dicho durante años "eso me mata de vergüenza" sino que les han propuesto el enunciado más pragmático que se ha escuchado a lo largo del país: "mirá que te pueden agarrar", enunciado que constituye la versión más cotidiana de la famosa frase espetada por una ministra a otro funcionario: "firmá que es excarcelable".

Deberemos reciclar la idea de que no basta con no robar por dos años[17] sino para siempre, y que el Congreso de la Nación no puede estar lleno de gente procesada por malversación o enriquecimiento ilícito, y que si aún los seguimos votando es porque nos hemos resignado al mal menor, pero que tenemos derecho a reciclar la vieja idea de que queremos el bien mayor... Y también deberemos reciclar la vergüenza de los políticos ante su inmoralidad consciente o no conscientemente ejercida, y ante su ineficacia, y ante su complicidad, y no sólo el reconocimiento de su inoperancia sino la profunda conmoción que debería agitarlos a partir del sufrimiento que su desidia, complicidad o cobardía ha producido en el conjunto de aquellos a quienes deben representar...

Y deberemos reciclar el derecho a oponernos bajo los medios más evidentes a todo intento de emplear los modos indirectos de la democracia representativa para hacer exactamente lo contrario a lo que se dijo que se iba a hacer, y no tolerar la sonrisa pícara de un

---

[17] La propuesta de no robar por dos años fue realizada por Luis Barrionuevo, dirigente de la CGT, quien dijo que era necesario que "dejemos de robar por dos años para que el país se arregle". Actualmente Barrionuevo es senador por el Partido Justicialista, merced a la benevolencia –¿o complicidad?– de sus compañeros de partido.

ex-presidente –que es también un ex-presidiario– que está esperando con placer que fracasen todos los planes de salvataje en este país para demostrar que él era corrupto pero que ahora estamos peor, lo cual es la muestra de miserabilidad política más terrible que se pueda ejercer, y también deberemos reciclar el derecho a pedirles a los actuales gobernantes que no nos vuelvan a ocultar la realidad como si fuéramos "un País Jardín de Infantes"[18], porque ya hemos demostrado que somos adultos y que no estamos dispuestos a que nos engañen como niños...

Pero sobre todo deberemos reciclar la idea que viene haciéndose cada vez más fuerte y que se expresa de múltiples maneras, de que la clase política no puede simplemente aplicar un vendaje sobre un cuerpo social que no deja de supurar, y que es necesario que genere un drenaje para que sus miembros corruptos, incapaces, mediocres, imposibilitados moral o intelectualmente de abandonar sus viejas componendas y sus pequeñísimas alianzas de encubrimiento que les permiten el sostenimiento del poder personal y de casta, dejen de seguir siendo considerados compañeros de camino en esta Historia.

18 Durante la dictadura militar María Elena Walsh escribió un texto que conmovió profundamente a la Argentina titulado "Un país jardín de infantes", el cual constituyó el primer alegato público de recuperación de la dignidad nacional.

10

Estamos acá

En los años '60, cuando los argentinos salíamos del país, hablábamos bajito. Hijos de los barcos, como se nos llamaba, llegar a Europa era como visitar a la abuela severa, aquella que nuestros padres nos habían pintado como la más fina, la más culta, la que poseía modales que tornaban nuestra barbarie bochornosa y nuestras ínfulas de menos pobres de una torpeza inadmisible. No éramos ricos como los americanos, no teníamos nada para ofrecer a nuestros parientes de allá más que la imagen del reducido bienestar alcanzado, y guardábamos la vergüenza de habernos conformado con los desarrapados de la tierra, con los sobrevivientes de todas las guerras perdidas de Europa y de todas las hambres del mundo. El sueño argentino, la América que la mayoría vino a hacerse, nunca pudo ser más que de pan y techo, y de estudio para los hijos, con un viraje brusco de estos hacia la cultura, con un desplazamiento del hambre hacia el conocimiento y el prestigio que la imposibilidad de la riqueza ofrecía como sustituto. Si los argentinos fuimos melancólicos de inicio, si la única música que pudimos inventar de verdad fue un tango lleno de decepción y amargura por amores frustros, fue porque enamorados de esta tierra descubrimos muy precozmente que no sólo no era nuestra, sino que difícilmente podríamos apropiárnosla.

Cuando la inmigración llegó acá, la Argentina era la estancia privada de doscientas familias, fuera de las cuales no había verdadera riqueza posible. Las gotas de leche de las vacas con las cuales la oligarquía hacía su fortuna, y los granos de trigo que llegaron a las bocas del resto, trigo del cual nunca dejó de apropiarse, alcanzaban para criar niños hermosos pero no para hacer crecer la riqueza del país en su conjunto. Por eso es engañosa la frase que dice que la Argentina fue el granero del mundo, ya que la riqueza de esos graneros no perteneció nunca realmente a los argentinos, sino a un grupo de ociosos patrones de la tierra que usufructuaban del feudalismo imperante sin tener las obligaciones que corresponden.

Sobre esta engañosa prospectiva se constituyeron los tics cotidianos: si este era un país rico, y ya no éramos pobres como cuando llegamos de Europa, había que erradicar todo símbolo de pobreza. Como los mestizos que ocultan constantemente sus orígenes negros o indígenas, alienados en la piel del otro, dejábamos siempre algo de comida en el plato para que nadie pensara que éramos unos "muertos de hambre"; los hombres no debían usar camisas de mangas cortas, porque eso era un signo de ser un trabajador miserable: sea porque no se tenía saco para echarse encima de ella y que se vieran los puños, o porque el desgaste del cuello y los codos llevaba a que las mangas se corten para restituir lo dañado matando dos pájaros de un tiro; no se debía mirar las vidrieras de las confiterías, para que nadie pensase que deseábamos los dulces que no podíamos comprar; no había que aceptar cuando se iba de visita más que un pedacito de torta, porque otra vez corríamos el riesgo de ser unos "muertos de hambre"; llevábamos siempre pañuelo, no porque fuera de mala educación limpiarse con la manga, sino porque ahí nomás, a la vuelta de la esquina, nos convertiríamos en bárbaros, en indios, o en los miserables del mundo.

La educación argentina se constituyó como una denegación de la pobreza de origen, porque ésta nunca pudo ser verdaderamente superada. Curiosamente los espejitos de colores fueron, en este caso, comprados por los que vinieron de afuera: figurines de París con los cuales las mujeres se cosían su propia ropa, departamentos en Mar del Plata que sólo podían ser usados dos meses al año, *locatellis* y *petits fours* que se tomaban con el té, automóviles que los hombres lavaban cuidadosamente en la puerta de la casa ante la mirada de los vecinos que admiraban envidiosamente el último modelo...

Eramos tan pobres que hasta nos diferenciábamos de otros pobres por tener los zapatos de moda o el coche del año... Eramos tan pobres que ostentábamos lo que habíamos comido o tomado... Eramos tan pobres que no comíamos las sobras a la noche para que nadie pensara que habíamos pasado de la pobreza a la miseria... Porque en realidad habíamos sido miserables, habíamos conocido los calzoncillos al llegar a la Argentina los que vinimos del exterior, o a Buenos Aires los que llegaron de provincia, o porque siendo la primera generación que tenía pijamas y camisones para dormir, las *robes de chambre* eran objetos de ilusión que llevaban las divas que aparecían en películas nacionales cuya tilinguería es clásica, al punto tal que nos llevó muchos años comenzar a llamar a ese adminículo para cubrirse al salir de la cama con el nombre más hispánico de "bata", ya que lo fino se constituía siempre sobre el trasfondo de lo extranjero. Y en nuestras costumbres conservamos los restos de lo que no alcanza y obliga a la solidaridad compartida, cuando llevamos a la casa de quien nos invita el postre o el vino, rasgo de cortesía de "no llegar con las manos vacías", proveniente de una época en la cual había que poner, cada uno, lo que tenía sobre la mesa para comer, y las manos vacías eran señal no de mezquindad sino de indigencia.

Por eso el "no tener" fue símbolo siempre, en la Argentina, de fracaso. Y sólo las clases dominantes se permitían la mezquindad, porque eran las únicas que podían ser egoístas sin ser sospechadas de pobres, sin que eso afectara su autoestima, sin que su imagen se derribara. Y ellas, que derrocharon todo, que viajaron a Europa con la vaca en el barco y se hicieron por "alimentar a Mimí con su champán...", por "tirar manteca al techo" y por dilapidar, acompañaron siempre su inoperancia y desidia con rapiña, siendo terriblemente críticas hacia el resto y pretendiendo para los pobres un modelo austero que era en realidad el encubrimiento de la profunda hipocresía con la cual ocultaban su profunda voracidad. Y esas clases dominantes, que fueron también clases gobernantes, malgastaron desde siempre las reservas del país, al punto tal que se ha llegado a decir irónicamente respecto a los proyectos inlogrados que nos pesan que, después de todo, "la reforma agraria argentina se hizo en las mesas de póquer y en los cabarets de París", ya que fue allí donde los hijos de los acumuladores de tierra perdieron, pedazo a pedazo, la riqueza no trabajosamente ganada de sus padres sino tomada sobre la base de la muerte de los indios y del hambreamiento de los demás. Riquezas incrementadas luego, podemos agregar, cuando les pasaron al Estado sus propias deudas al reconvertirse en financistas a partir de su alianza con los trepadores e inescrupulosos que usufructuaron el proyecto financiero de la dictadura en los '70, y aumentadas más tarde sea por la debilidad en un caso, o por la complicidad corrupta y perversa en otro, para revertir este proceso de acumulación salvaje por parte de los gobiernos que se sucedieron luego del retorno a la democracia.

Y fue así como a lo largo del siglo XIX los ingleses se dieron cuenta de que para tener la carne de la Argentina no tenían que invadir el país y gobernarlo con toda la responsabilidad que ello implica, haciéndose cargo de la salud y educación de sus habitantes, de la administración y de la regulación de los impuestos, sino simplemente pactar con los dueños del poder que el país se convirtiera en un enorme abastecedor de sus necesidades, a fines del siglo XX los espíritus coloniales fueron desplazados y se limitaron a apropiarse –sin tocar la lengua, ni las instituciones, ni la educación– de los bancos, el petróleo, las redes de agua, las telefónicas, las aerolíneas, y a destruir palmo a palmo lo que se había construido trabajosamente en la precaria industrialización lograda por un país que nunca pudo salir de su destino de exportador de carne, trigo, científicos, escritores, mujeres y hombres bellos convertidos en modelos de grandes diseñadores, caballos y algunos inventos, poquitos pero rendidores, como el *by pass* de Favaloro, el dulce de leche, y la picana eléctrica, en los cuales se resumen los tres vértices de la Patria.

Pero por supuesto que estos procesos no se dieron bajo la mirada benévola de nuestros hermanos europeos o norteamericanos, sino con su presencia firme y resuelta. Por eso las privatizaciones corruptas realizadas por el gobierno de Menem a través de la garra firme de ese remedo de Cruella De Ville que constituye María Julia Alsogaray tuvieron del otro lado a quienes coimearon, quienes presionaron, y quienes compartieron lobbys y encuentros en los cuales estos acuerdos se produjeron. Aun hoy, en los días terribles de diciembre de 2001, Felipe González vino a hacer su trabajo de presión, como representante de Repsol y de los bancos españoles en la Argentina, para lograr una postergación de la devaluación hasta principios de enero, ya que cerrando el ejercicio anual a fines de diciembre, las ganancias se derrumbaban a la mitad si no se mantenía la convertibilidad del uno a uno.

Y mientras *Le Monde* clama, en Francia, que "la Argentina ha muerto", la telefónica –con la cual se reparten las comunicaciones entre empresas españolas y francesas –pretende ajustar sus tarifas de acuerdo a la devaluación, mientras la antigua Aguas Argentinas, en manos ahora de la Lyonnaise des Eaux, sigue lavando sus negocios con el usufructo producido por la benévola concesión de los gobiernos corruptos que hemos soportado. Pero algunos diarios europeos, ciegos a la alianza entre nuestros gobiernos y los grandes directivos de sus compañías financieras, denuncian nuestra soberbia. Y la mojigatería, el moralismo de cuarta y el espíritu colonial se combinan para acusar: "¿Vieron? Los argentinos fueron gastadores, soberbios, se creyeron ricos y no lo eran, no supieron ahorrar, zurcir medias, hacer calceta, ir a misa, comer papas, reconocer su destino de sudacas pobres del mundo, pretendieron competir con nosotros, andar por Saint-Germain o por Velásquez sin pudor, ¡y de modo hasta desafiante! Dios los castigó, ¡y ahora pagarán su soberbia con la muerte del país!"

Porque hay un cierto goce triunfalista, impiadoso, en estas afirmaciones. Se une allí el pasado colonial con el revanchismo hacia los EEUU, ya que supuestamente esto muestra también que además de nuestros pecados de espíritu los argentinos, en lugar de alinearnos con los americanos hubiéramos debido retornar a los principios, y darnos cuenta de que nuestros verdaderos hermanos carnales son los europeos, y que los lazos que nos unen, de religión, de lengua –romances, latinas–, lazos del espíritu en fin, son los únicos que valen, y entonces todo esto no nos hubiera pasado...

Pero algo lamentable se produce cuando el mundo intelectual queda capturado por el pensamiento cotidiano de los sectores más atrasados de un país, y eso parece ocurrirle a una parte del periodismo europeo que clama por castigo a los argentinos. La pérdida de referentes hace que se pierda de vista el hecho de que ni los argentinos nos creímos ricos, ni todos fuimos cómplices de la corrupción, y que si una responsabilidad nos cabe es haber sido parte de una historia en la cual se sucedieron terribles derrotas de ese pensamiento y ese accionar que pretendió poner coto al proceso financiero salvaje, no sólo con las muertes de una guerra sino con el horror de la mutilación y la desaparición de los cuerpos de sus protagonistas y de los ideales de una generación, y que hace menos de veinte años que intentamos reconstruir un país sin golpes de Estado, sin represión, sin muertos en la calle, y con una clase política que aúna su inexperiencia en el poder con su debilidad constitucional, sus miedos ancestrales, o su corrupción crónica.

Y, por qué no, que sabiendo que no había que confundir gordura con hinchazón, y que tener un dólar barato no era ser ricos, nuestros fantasmas nos impidieron enfrentarnos con toda la fuerza posible al proyecto de desmantelamiento que ejercieron los capitales internacionales con sus aliados criollos. Aliados a los cuales indudablemente votó la mayoría, eligiendo hacer la vista gorda a sus inaceptables defectos, pero también a los cuales pareceríamos no estar ya en disposición de aguantar más, y frente a los cuales nos preparamos para producir un relevo que dé las condiciones para una nueva República.

Porque si algo hemos ganado, es la pérdida del pudor de ser pobres. Y ello nos permite comenzar a recuperar la dignidad de ser quienes somos: los que con nuestros precarios medios no sólo llegamos a estas tierras y sobrevivimos, sino que alojamos solidariamente a nuestras familias cuando las guerras y miserias las expulsaron de su entorno originario; los que pudimos dar algunos premios Nobel de Ciencia, y no sólo de la Paz o de Literatura a los cuales parecía que nuestro destino geográfico nos condenaba; los que enterramos a gran parte de nuestros mejores hombres en el exterior, y hoy sufrimos porque se van camadas enteras en un drenaje infernal de recursos simbólicos formados desde hace muchos años no con el esfuerzo del Estado sino de la sociedad civil que toma a su cargo la conservación y producción de inteligencia; los que seguimos escribiendo, pintando, haciendo cine, música, teatro, inventando diariamente algo para ganarnos la vida, trabajando de argentinos, intentando saber quiénes somos, producir algo nuevo, abrirnos los ojos juntos aunque tengamos que mantenernos para ello despiertos, noche tras noche, con el ruido de las cacerolas...

Se terminó de imprimir en el mes de abril de 2002
en los Talleres Gráficos Nuevo Offset
Viel 1444, Capital Federal